La otra orilla

El camino del norte

Premio de novela
La otra orilla 2006
convocado por

Horacio Vázquez-Rial

El camino
del norte

Grupo Editorial Norma
www.norma.com
Bogotá Barcelona Buenos Aires Caracas
Guatemala Lima México Panamá Quito San José
San Juan San Salvador Santiago de Chile Santo Domingo

Vásquez Rial, Horacio, 1947-
    El camino del norte / Horacio Vásquez Rial. -- Bogotá:
Grupo Editorial Norma, 2006.
    218 p. ; 22 cm. -- (Colección la otra orilla)
ISBN 958-04-9664-1
1. Novela hispanoamericana 2. Dictadura -
Argentina - Novela 3. Argentina - Política y
gobierno - Novela I. Tít. II. Serie.
868.9983 cd 19 ed.
A1090130

    CEP-Banco de la República-Biblioteca Luis Ángel Arango

Primera edición: Editorial Norma, octubre de 2006

Diseño de cubierta: Jordi Martínez
Armada: Luz Jazmine Güechá S.

CC 72062
ISBN 958-04-9664-1

Este libro se compuso en caracteres Adobe Garamond

Contenido

PRIMERA PARTE

Los muertos
1. La voz del dormido   15
2. La vida sexual   21
3. La materia del tiempo   27
4. Correo   31
5. Vuelta de correo   33
6. La casa ausente   35
7. La biblioteca   39
8. Las viejas fotografías   45
9. Visita del pasado   49
10. La fuga del hogar   57

SEGUNDA PARTE

En viaje
11. Servicio fúnebre   65
12. La bruja   73
13. Revoluciones y fugas   79
14. La voluntad   85

15. Familias   89
16. Imágenes sin sonido   95
17. Llegada   99
18. La escena del balcón interrumpida   101
19. Cartas de amor   107
20. El ejecutado   111
21. Los nietos   115

TERCERA PARTE

La investigación
22. Preliminares   123
23. Interrogatorio   129
24. Nochebuena   135
25. Nocturno   145
26. Nos vamos todos   151
27. La vida extrema   159
28. El marido   163
29. A Buenos Aires   173
30. Encuentros   175

CUARTA PARTE

Por la vuelta
31. El escritor secreto   181
32. Con flores a Cecilia   193
33. La griega   199
34. El anatomista   205
35. La voz del despierto   211

Para Marcelo Birmajer y Jaime Naifleisch.
Sin ellos, no existiría este libro.

PRIMERA PARTE
Los muertos

1
La voz del dormido

Los recuerdos son la vida.
SAUL BELLOW, *The Bellarosa Connection*

—¿Lucinda Feinsilber?

—Sí, ¿quién es?

—Enrique. Enrique Kramer. Tu primo Enrique.

—No. Vos no sos. No podés ser. Estás muerto.

—Soy yo. Pero es natural que pienses eso. Hasta hace unos días, estuve muerto.

—Si estabas muerto, seguís estando. Nadie vuelve.

—¿Te acordás de Campbell?

—Claro, ¿cómo no me voy a acordar? Estudiamos juntos.

—Él me resucitó.

—No, esperá… No. Mirá, Campbell es un buen médico. De los mejores, se dice. Pero no puede resucitar a nadie.

—Sí, puede. Yo le enseñé. Hace veinticinco años.

—Ni Enrique Kramer podía enseñar algo así.

—Yo soy Enrique Kramer.

—Tu voz se parece a la de Enrique, pero eso no significa nada. Dame una prueba de que sos vos y empezamos a hablar.

–"Yesterday".

–Sí.

–Lo escuchamos juntos.

–Lo escuché muchas veces. Con muchas personas diferentes. Es un privilegio generacional.

–Siempre dura, vos. Siempre con respuestas duras.

–Sí.

–Pero esta vez "Yesterday" suena en un Winco, en el piso de arriba de la casa de la calle Arcos. Estamos solos, como tantas veces. Yo sé desde hace mucho que sos una mujer, pero vos acabás de darte cuenta de que yo soy un hombre.

–Pero somos primos.

–No hablamos de eso. Tal vez tu memoria haya añadido el dato, tal vez lo hayas pensado en aquel momento. Pero no lo hablamos.

–No, no hablamos nada.

–Es el 11 de noviembre del 68. En mi cuarto. Mañana te voy a dar las gracias por dejar tu olor en mi almohada.

–Y yo te voy a tapar la boca para que no me digas más nada.

–Ahora no podés taparme la boca.

–Puedo cortar y no volver a atender este teléfono, pedir que me cambien el número y…

–Esta vez no.

–No, esta vez no… De acuerdo, sos vos. Pero seguís muerto. Te secuestraron, desapareciste. Miles desaparecieron. Vos también.

–Sí, yo también. Pero después. No me secuestraron los milicos. Fue más complicado.

–¿Se puede hablar de estas cosas por teléfono?

—No sé. Me parece que sí. Depende de vos. De quién seas ahora. Yo no soy nadie, te estoy llamando desde un locutorio de barrio. Estoy encerrado en una cabina y todas las demás están vacías. La chica que me va a cobrar la comunicación está medio dormida. Puedo decir lo que quiera.

—No estoy segura de poder oírlo, pero voy a correr el riesgo. Si no te secuestraron, ¿dónde pasaste todo este tiempo?

—Hasta el 82, apartado del mundo pero ejerciendo. La mayor parte del tiempo, esperando. Un paciente cada tanto. Sólo pacientes muy especiales.

—Entiendo.

—No. En realidad, no, no entendés. No se trata de lo que imaginás, de heridos en batalla y todo eso. Pero ahora no voy a explicarte más.

—Mejor. No. ¿Y después del 82?

—Estuve durmiendo.

—¿Durmiendo? ¿Dieciocho años durmiendo?

—Sí. Al principio, pasé un tiempo borracho. Pero después estuve durmiendo. Convencido de que estaba muerto. A pesar de todo, más lúcido que otros, que están despiertos y creen que están vivos. Pero eso lo comprendí después.

—¿Dónde? ¿Dónde se puede dormir tanto?

—Por ahí, en Buenos Aires. Hay muchos sitios.

—Me cuesta aceptar lo que me decís.

—A mí también. Desde donde estoy, veo la calle. Gente que pasa, autos, colectivos. Y sé que más allá de eso, a lo mejor en el edificio de enfrente, hay tipos como yo que siguen durmiendo. Tengo un pasado raro pero me consuelo pensando que otros tienen un presente más raro todavía.

—Todo es raro. Hace un rato, estabas muerto. Y ahora sólo sos tu voz y una historia difícil de creer. ¿Sabés, al menos, por qué te pasó lo que te pasó? Lo que sea que te haya pasado, ya me lo contarás, si querés.

—Ya te contaré los detalles. Lo que me pasó, te lo acabo de decir. Pero cuando conozcas los detalles, lo creerás… Y sí, sé por qué me pasó. La política, el mal, una mujer… Lo de siempre: mundo, demonio y carne.

—¿El mal?

—Sí. Codicia, miedo, soberbia, ignorancia, poder, crueldad.

—No te reconozco en esas cosas.

—No estoy hablando de mis propias virtudes, prima Lucinda. Yo fui el objeto. No quiero decir con esto que yo sea mejor. Sólo que mis pecados fueron otros. La lujuria desaforada, tal vez una voluntad débil, la entrega a la adicción. La ignorancia, sí. Eso es cosa de todos. Cierto que habitualmente se disimula bien con un poco de fe. Pero únicamente se disimula. La vida acaba siempre con la fe, si uno no es un pelotudo integral y está dispuesto a reconocer que todo cambia.

—No es fácil.

—Ya sé que no es fácil. Pero, por ponerte un ejemplo, no veo por qué tiene que resultarte más sencillo creer en un muerto sin cadáver que en dieciocho años de sueño. Estudiaste medicina, al menos aprobaste forense…

—Sí, y sé que no hay muerto sin cadáver, tenés razón. Y también leí sobre desconexiones prolongadas y despertares inesperados…

—¿Pero?

—Pero nada. Dame tiempo. Tengo que acostumbrarme.

—Todo el tiempo del mundo, prima Lucinda.

—Es la segunda vez que lo decís.

—¿Que digo qué?

—Prima Lucinda. Sos mi único primo. Sólo vos me llamabas así. Hasta en la cama.

—Sobre todo en la cama. Siempre me calentó la idea de estar violando el tabú del incesto.

—¿Eso hacíamos?

—Eso hacíamos, me parece. Decime, ¿seguís igual de linda?

—Pasé de los cincuenta hace rato. Y ya sabés, los años tienen el mismo efecto que el alcohol y la marihuana: ponen en evidencia lo peor de cada uno. ¿No vas a venir a ver lo que hicieron conmigo?

—Muy pronto.

—¿Sabés dónde estoy?

—Claro.

—¿Cómo lo averiguaste? El lugar, el número para llamarme...

—Tengo un amigo que viaja por internet. Él te buscó. No sos difícil, tenés un apellido poco corriente, estás en un colegio de médicos...

—Está bien. Todo claro. Te estoy esperando.

—No va a ser mañana ni pasado. Saldré de Buenos Aires dentro de unos días. Y pienso ir por Santa Fe, parar en algún pueblo...

—Hacelo. Pero acordate de que te estoy esperando. Tengo algo para vos. Bueno, tengo algo que ahora sé que es para vos.

—He superado la curiosidad.

—Está bien. ¿Tenés un teléfono al que te pueda llamar?

–Dos. Uno fijo y un celular.

Kramer enunció los números. Lucinda tomó nota.

Se despidieron mal, con torpeza, no sabían cómo hacerlo.

2
La vida sexual

Hasta los 75 años no he detestado la vejez. Incluso encontraba en ella una cierta satisfacción, una calma nueva, y apreciaba como una liberación la desaparición del deseo sexual y de todos los demás deseos.

LUIS BUÑUEL

Llegó a la casa de la calle Honduras ya oscurecido. Bruno había hecho milanesas. Kramer se puso una camiseta y un short. Se montó en la bicicleta estática y empezó a pedalear.

—¿Ya estás jodiendo otra vez con los ejercicios? –preguntó Bruno.

—Sólo cinco kilómetros. Cuando llegue, cenamos. Muchos años sin usar los músculos. Tengo que moverlos –se justificó–. Hablé con Lucinda –anunció luego–. ¿Sabés qué me dijo?

—Si no me lo contás, no lo sé.

—Que hace rato que pasó de los cincuenta. Eso me dijo, como si no se acordara de que yo también los pasé.

—¿Sólo eso?

—Y que me espera. Y que tiene una cosa para mí. No sé qué tendrá, pero no me llama la atención. Me entusiasma más el viaje, ir a verla, ir hacia donde está. Lo que no sé es si quiero llegar.

—Claro que querés llegar. Uno siempre quiere llegar. A alguna parte. Hoy, a la casa de tu prima. Mañana, quién sabe. Otra vez a Buenos Aires, a lo mejor.

—Ya estoy en la mitad del recorrido. Con esta bicicleta no se llega a ninguna parte, Bruno.

—No te preocupes. La cocina está ahí nomás, del otro lado del patio. Cinco metros. Cuando quieras parar, llegás justo para comer. ¿Querés huevo frito con las milanesas? Hay papas también.

Lo dijo alejándose de Kramer, yendo hacia la cocina.

—Llamó el gallego Romeu esta tarde —gritó mientras encendía el gas; echó aceite en la sartén—. Quería saber si necesitábamos plata.

Kramer dejó de pedalear. Cuando llegó a donde estaba Bruno, sonreía.

—¿Está loco el gallego? —dijo—. Si con lo que me dejó, tengo guita para el resto de mi vida. Y vos también.

—No te dejó nada. Le hizo pagar a la gente que te había jodido. Te lo recuerdo porque él quiere que lo tengas presente. Que no es ningún regalo. Sólo una indemnización.

—Está bien. Igual es mucha guita.

—Sí, ya sé. Me dijo otra cosa sobre eso.

—¿Qué?

—Que saquemos todo del banco. Que tengamos los billetes en casa.

—¿Y eso?

—Dice que este país está al borde de la quiebra, y que si no lo tenemos bien guardado, lo vamos a perder todo. Hay que hacerle caso, ¿no?

—Sí, claro. Por lo que tengo visto, no es hombre que se equivoque.

—Y eso se lo entendí bien.

—¿Otras cosas no? —preguntó Kramer, sirviéndose un vaso de vino y sentándose a la mesa, cubierta con un mantel de hule.

Bruno echó las papas en la sartén.

—No, a veces me cuesta —confió—. Parece joda, pero me confunde el gallego. Le llama bombilla a lo que yo llamo lámpara, porque para mí la bombilla es lo que es, ¿no? La bombilla del mate. Y después le llama lámpara a lo que yo llamo velador, aunque igual le dice lámpara a la otra lámpara, la de pie… ¿Ves? Uno cree que habla un idioma y no lo habla. Yo no hablo castellano, me parece.

Se volvió hacia Kramer y se quedó mirándolo, desconcertado.

—No, no lo hablás —le confirmó el amigo—. Y él tampoco. El idioma es otra cosa, que está por encima de los dos. Y por debajo. También pasa que a veces no me entendés a mí. Y que yo no te entiendo a vos.

—Sí. Me tengo que parar a pensar. Como si tradujera.

—No es como si tradujeras, es que traducís. Todo lo que decimos es traducción. No de palabras a otras palabras. Esa es sólo la segunda parte. Primero está el traducir de cosas que no son palabras, de emociones, relaciones encontradas, dolores, lo que sea, a palabras. Traducís dolor diciendo me duele. Y yo te oigo decir me duele y me hago cargo de tu dolor, pero a mí no me duele. Traduzco me duele, no a un dolor mío, sino a otras palabras, porque no sé doler con vos, no puedo aunque quiera, me tengo que arreglar con mi propio recuerdo del dolor, evocar mi dolor para acercarme al tuyo. ¿Vas entendiendo?

—Más o menos. Sí, creo que sí… Lo que querés decir, al final, es que no hay modo de entendernos del todo.

—Justo. Eso. Hablemos el idioma que hablemos.

Bruno iba a encender un cigarrillo.

—Lo vas a tener que apagar —le advirtió Kramer—. Las papas casi están.

—Sí, tenés razón —dejó el cigarrillo y el encendedor sobre la mesa y se volvió hacia el fogón.

Estaban comiendo cuando Kramer averiguó si Romeu había dicho algo más.

—Me preguntó por vos. Le dije que estabas bien. Que estabas vivo a pesar de que no te lo cree nadie.

—Ni siquiera yo me lo termino de creer. Y mi cuerpo no acaba de enterarse, a pesar de que se lo digo cincuenta veces por día. Hay partes que no me escuchan. Pero al final, va a aprender.

Bruno lo miró a los ojos.

—¿Te puedo hacer una pregunta íntima? —arriesgó.

—Dale. Lo peor que puede pasar es que no te conteste.

—Bueno, si no te vas a ofender…

—Te lo prometo. Preguntá nomás.

—Desde que… volviste, o resucitaste, o como vos llames a eso que te pasó…, hace unos meses que pasó…

—Sí, unos cuantos meses. Hacía calor y vuelve a hacer calor…

—Eso. Desde ese día, y perdoname que sea tan…, bueno, ¿estuviste con alguna mujer?

—¿Y eso era todo?

—Sí.

—Bueno, no era tan grave.

—Depende de cada uno. Yo no sabía cómo te podía caer.

—Está bien, está bien… La respuesta es no.

—¿No tenés ganas?

—Mirá, Bruno, te voy a ser sincero.

—Para eso estamos los amigos, ¿no?

—Sí, por eso. Si los datos con los que cuento son ciertos, es decir, si estamos en la primavera, casi el verano, del año 2001 y yo estoy vivo, voy a cumplir sesenta años el mes que viene. A esta edad, un hombre no tiene los mismos entusiasmos que a los treinta o a los cuarenta, por no decir a los veinte. Vos tenés menos que yo y ya sabés que la libido va bajando.

—Sí, lo sé, ya no es igual… Perdoná si…

—No, no hay nada que perdonar, escuchame. Eso es lo normal. También sería normal que tuviera la próstata jodida, pero por lo que sea, por los años de descanso forzoso o por cualquier otra razón, la tengo bien. Y sexualmente estoy mucho mejor de lo que cabría esperar. Demasiado bien. Para decirlo con claridad, me muero de ganas de coger. Pero no.

—¿Y por qué?

—Yo me enamoro, Bruno. Por eso. Puedo acostarme con una mujer sin estar enamorado de ella. Pero si lo hago y sale bien, me enamoro en la cama. Sin remedio. Y sé que eso trae dolor.

—¿Y si pagás?

—Es igual. Me puedo enamorar de la última puta del puerto, de la más vencida, de la más lastimada. Peor, porque me daría por redimirla.

—Voy a acabar pensando que en el fondo, Kramer, odiás a las minas.

–No. Al contrario. Las amo. Siempre las he amado. A todas. Y eso es algo que ninguna mujer perdona. Además, yo no siento odio por nadie. Sólo les tengo miedo. Más que miedo. Pavor.

–¿Pensás en Mariana a veces?

–Cada mañana, en cuanto me despierto. Y ruego a Dios que me conceda otra jornada sin ella. Y sin nadie que se le parezca. A cambio, le ofrezco mi celibato voluntario. ¿Ya está? ¿Querés saber algo más?

–No, no, está bien…

–Vamos a tomar el café afuera. Dejá los platos, que después los lavo yo. Quiero un poco de aire fresco.

3
La materia del tiempo

Madre, yo al oro me humillo,
él es mi amante y mi amado.

QUEVEDO

La historia del dinero, esa curiosa materia en la que se acumula el tiempo, surgió cuando ya estaban en un café, pasada la medianoche y bastante lejos de la casa. Fue cuando Bruno anunció que a la mañana siguiente iría al banco a sacar lo que tenían depositado allí y Kramer empezó a hablar de otro tiempo, de otro dinero.

–¿Sabés? –dijo Kramer–. Yo tenía plata. Guardada.

–¿Cuándo? –quiso saber Bruno.

–En el 76, al principio.

–¿Dónde? –quiso saber Bruno–. En un banco no sería, porque no tenías documentos…

–En un escondite. Y también tenía documentos. Escondidos, digo. Plata y un pasaporte con mi foto.

–Un escondite. Suena bien, a Corsario Negro. Pero te pregunté dónde.

–En un paquete. Debajo de unos ladrillos. Un paquete cubierto por un montón de ladrillos.

—Eso puede estar en cualquier parte.

—En un palomar. En una terraza. En la calle Corrientes.

—Ahora sí. Aunque Corrientes es muy larga. Entre el Bajo y Chacarita hay varios kilómetros.

—Esperá, no te pongas ansioso. Es cerca del Abasto, hacia Medrano. Sé ir. Pero hace veinte años era un edificio que se caía a pedazos. Una especie de conventillo de pisos, con pensiones y viviendas familiares compartidas, donde se amontonaba gente de todas partes que llegaba a Buenos Aires a buscar no sé qué. Lo más probable es que ya no esté, que lo hayan demolido. El que criaba las palomas era un griego que en aquella época pasaba de los sesenta. Había sido paciente mío en el hospital y se sentía en deuda. Vos sabés, eran tiempos duros y el tipo no era boludo, así que me ofreció su casa. Si algún día le pasa algo, doctor, me dijo, ya sabe que tiene donde guardarse.

—Lindo tipo, ¿no?

—Sí, de los pocos… Le pedí que me cuidara unas cosas.

—¿Le dijiste lo que era?

—Sí. Si le hubiera dejado un arma, igual se hubiera hecho cargo. Pero preferí que estuviera tranquilo. Por si me encuentro en algún apuro, le expliqué.

—¿Y tenías mucho?

—Diez mil dólares había juntado.

—Una plata —consideró Bruno.

—Sí, bastante.

—Con eso se puede empezar cualquier cosa.

—Sí, es lo que estuve pensando estos días.

—Y como estás lento, no fuiste a ver si seguía en su lugar.

—Te lo dije: ni siquiera sé si está la casa. En realidad, estuve pensando en eso por otros motivos, más allá de la plata, que no me hace falta.

—A mí tampoco, pero es guita, ¿no? Siempre sirve.

—Pero no es lo más importante.

—Kramer, no te vayas por las ramas. Explicame tus motivos. Pero rápido, que en cuanto termines nos vamos para allá.

—Bueno. Pero primero te explico. Creo que yo no soy del todo yo. Mejor dicho: creo que nadie es del todo el que es. El que guardó esa guita no era yo, sino un tipo que yo tenía adentro y que estaba dispuesto a sobrevivir. A mí no me interesaba sobrevivir. Bebía, tomaba anfetaminas para mantenerme despierto, hacía una serie de cosas irracionales, injustificadas y a veces criminales a las que llamaba militancia, y para colmo esperaba que a Mariana le naciera un corazón en el pecho vacío. Me suicidaba. Pero el otro juntaba plata para irse con el ruido a otra parte, para rajar, para conservarse vivo. Debe de ser el mismo que se negó a ceder al tratamiento de Franzetti, a dejarse morir durante el sueño.

—Los dos son vos. El otro y vos. Y alguno más que no tenés en cuenta en este momento. El borracho, el dopado y el héroe al pedo también son vos. Son caras del que tenés adentro y que quiere matarte, no te olvidés de él, tiene algo que decir…

—Sí, seguramente.

—Ahora vamos a ver esa casa, ese palomar.

—Si está.

—Si está.

4
Correo

De: Joan Romeu <romeu@telefonica.net>
Para: Fernando Borges <fborges@ciudad.com.ar>
Enviado: jueves, 15 de noviembre de 2001 9:21
Asunto: Rescate (2)

Querido comisario:

Le cuento. Fui a Buenos Aires a cuidar de una mujer que corría riesgos. Una mujer que había parido en cautiverio, en uno de los agujeros del capitán Labastida. Le habían quitado el hijo y la habían devuelto por dinero. Ese rescate fue como una revelación para los que participaron en él. El hombre que pagó, un español, y la amiga de la mujer, que se llama Mariana, descubrieron un filón. Él conocía gente de dinero. Se pusieron de acuerdo con Labastida. Mariana formó un equipo: un enfermero, un aviador que sacaba del país a los devueltos, y un médico que les proporcionaba los primeros auxilios. Ese médico era Kramer, el hombre por el que le pregunto. Estaba enamorado de Mariana, de esa forma perruna, esclava, del amor que no hace bien. Además, era alcohólico. El negocio se amplió rápidamente. Reunieron unos cuantos millones de dólares. Cuando la dictadura colapsó, o quizá un poco antes, se dispersaron. El español no volvió a la Argentina. Mariana cambió de papel y se dedicó, al menos en apariencia, a buscar desaparecidos: la gente se recicla como puede. Por razones que aún desconozco, y que probablemente desconoceré siempre, no mataron a Kramer, que estuvo unos años dando vueltas por ahí. Cuando le encontraron, en vez de asesinarle, le internaron en una especie de prisión de dormidos, la clínica del doctor Franzetti, un viejo colaborador de los militares, formalmente psiquiatra especializado en curas de sueño. Yo le saqué de allí, al borde de la muerte, y Campbell, colega y discípulo de Kramer, le devolvió a la vida. En los tres años que llevaba dopado, nadie había preguntado por él, ni le había buscado. No tenía documentos, nadie le había dado por desaparecido y tampoco había registro de defunción. Estaba en la tierra de nadie. Búsquele, vive en casa de Bruno Rotta, en la dirección que le envié hace poco, la de la calle Honduras. Y, si puede, tráigalo de nuevo al mundo legal. Se lo agradeceré siempre.

Un abrazo

Juan

5
Vuelta de correo

De: Fernando Borges <fborges@ciudad.com.ar>
Para: Joan Romeu <romeu@telefonica.net>
Enviado: viernes, 16 de noviembre de 2001 11:34
Asunto: RE: Rescate (2)

Ay, Romeu, gallego, usted siempre de Quijote. Pero voy a hacer lo que me pide porque me gusta que me escriba. Usted es un antiguo, como yo. Usa mayúsculas, acentos, comas. Es una suerte que los dos seamos buenos dactilógrafos.

No se preocupe, Kramer vivirá para la ley. Ya miré en los archivos y todo bien.

Espero verlo por acá.

Abrazo

Fernando

6
La casa ausente

Regresan a la gran casa vacía. Nadie dice palabra.
MANUEL MUJICA LÁINEZ, *Misteriosa Buenos Aires*

La casa tenía grandes puertas de hierro, cerradas, con los cristales rotos y una cadena pasada de una a la otra y sujeta por un candado.

—Nos haría falta una tenaza —deseó Kramer.

—Estás piantado. Cortás esa cadena y vas en cana a los dos minutos. Hay que entrar por otro lado.

El edificio del palomar, abandonado, aún no había dejado el lugar para una construcción nueva. Era de planta baja y tres pisos. El contiguo era de cuatro. El siguiente, que ocupaba la esquina, también de cuatro, todos de oficinas: una de esas construcciones improvisadas con cierto aire rumano que prosperaron en los primeros años ochenta. Se entraba a las oficinas a través de una galería comercial en la que la mayoría de los locales ofrecían ropa barata, aunque había también un relojero y un zapatero remendón. El conjunto permanecía aislado durante la noche por una persiana metálica, una suerte de red de rombos a través de la cual se veían las tiendas en penumbra. En el centro de la persiana había un esbozo de puerta minúscula, para agachados: un marco que rodeaba otro fragmento de la misma red. Al fondo, a unos veinte metros, estaban los ascensores.

—Hasta que no se levanta la persiana, no entra ni sale nadie —dijo Kramer.

—Sólo los que tengan la llave de la puertita.

—Habrá un sereno durante la noche.

—Eso era en tu época, doctor. Ahora nadie puede pagar el sueldo de un sereno. Y el que puede, no quiere y dice que no puede. Igual no nos vamos a quedar a ver. Viene la patrulla por la otra esquina. Caminemos.

Cruzaron la calle y anduvieron a buen paso hacia el bajo. El coche de la policía pasó cerca de ellos, a poca velocidad. Fingieron un diálogo y una concentración apasionada en las palabras. Fingieron no ver las luces ni oír el motor. Se sintieron aliviados cuando el vehículo torció en una transversal y se perdió de la vista.

Bruno detuvo un taxi. No hablaron durante el viaje. El taxista, cosa rara, tampoco.

—Estamos en democracia desde hace casi veinte años, ¿no? —pretendió confirmar Bruno mientras abría la puerta de la casa.

—Eso me han contado —respondió Kramer.

—Pero seguimos con miedo a la policía.

—Es una democracia imperfecta.

—Subdesarrollada.

—Una mierda.

—Sí. Vamos a dormir.

—Mejor. Pero yo, sólo un rato. No quiero abusar.

Kramer estaba en la mitad de la escalera del patio, la que llevaba a su habitación, arriba, cuando lo detuvo la voz de Bruno.

–Doctor.

–¿Sí?

–¿Cuándo pensás ir a ver a tu prima?

–Dentro de unos días.

–¿Vas a ir solo?

–Sí. ¿Querés venir?

–Me gustaría. Podemos comprarnos un coche, ¿no crees?

–Es una idea. Una inversión.

–Hasta mañana.

–Hasta mañana.

7
La biblioteca

Julián huyó del castillo para no volver.

FLAUBERT, *Leyenda de san Julián el Hospitalario*

Al día siguiente, Bruno fue al banco y regresó a la casa de la calle Honduras con un montón de dinero, muchas decenas de miles de dólares. Kramer lo ayudó a levantar la plancha de cemento del baño del patio, que tenía encima un inodoro simbólico con una cisterna vacía, desconectada del servicio de agua de la casa: tenía que ser así porque el desagüe estaba cegado. Era sólo un escondite, ingeniado por Bruno en los últimos tiempos de la dictadura, en el que jamás se había ocultado nada. Pero las obras que no sirven para la guerra suelen servir para la paz, que no siempre es generosa y rara vez asegura la tranquilidad: la mayoría de las veces, apenas si reduce la posibilidad de que te peguen un tiro al salir a la calle. Ahora había paz, pero la tentación representada por la riqueza visible no diferencia las épocas más violentas de las de ferocidad limitada: era mejor encubrir las posesiones. Bruno se sentía muy afortunado porque nadie le había dado un tirón ni le había puesto una pistola en el pecho para quitarle el bolso en el camino desde el banco.

39

Por la tarde, volvieron a la galería de la calle Corrientes, ahora en actividad. Cuando llegaron al cuarto piso, vieron que todas las oficinas estaban desocupadas. Ni siquiera hizo falta forzar la cerradura de la puerta que llevaba a la azotea: estaba abierta, en aquellos despachos nadie dejaba nada cuando se iba. No esperaron al atardecer para hacer su breve travesía por los techos. Los desniveles entre un edificio y otro eran mínimos.

Del palomar quedaba poco: restos de una estructura, improvisada en su origen con tablas de cajones, y jirones de redes metálicas zafadas de los clavos que en otro tiempo las habían ligado a las maderas. Había, eso sí, palomas, palomas vulgares, ajadas, grises con algún punto violeta, con apariencia de haberse pasado la vida en las chimeneas de alguna industria especialmente perversa. Poco tenían que ver, pensó Kramer, con las lustrosas palomas de buche tornasolado y puntas de ala verdosas que criaba el griego. Estas eran aves sin esperanza, desamparadas, que ni siquiera sabían que el sitio en que se refugiaban era un palomar, sólo lo habían encontrado.

—¿Dónde carajo estarán tus cosas? —había desazón en la voz de Bruno.

—Si están, están ahí adentro —señaló Kramer, el dedo apuntando al fondo del lío de palos y alambres, a una pila de ladrillos que alguna vez había aspirado a conformar una columna.

Se abrieron paso a través de un estruendo de plumas en fuga. Los ladrillos de la parte más alta de la pila o columna no estaban sujetos al resto con cemento y habían empezado a desintegrarse: el clima, el tiempo, las cagadas de los pájaros, quizá algún picotazo. Pero seguían cubriendo el hueco que el palomero había dejado en el centro de su aparentemente vana construcción. Kramer los apartó sin cuidado y algunos se partieron del todo al llegar al suelo. Ahí estaba el paquete, envuelto en papel de diario, forrado con un plástico que había sido transparente, rodeado de tiras de tela adhesiva degradada, roñoso de hollín, años y tormentas. Un paquete de pobre, abandonado por la desmemoria de la muerte.

Kramer se sentó con desconfianza en lo que quedaba de la falsa columna y se quedó mirándolo.

—¿No lo vas a abrir? —dudó Bruno.

—Acá no.

—Bueno. ¿Dónde?

—Después.

Bruno encendió un cigarrillo, tosió un poco y dio unos pasos hacia la puerta que comunicaba la terraza con el edificio. Se había salido del marco.

—¿No querés ver lo que hay en la casa? —aventuró.

—¿Para qué?

—No sé. Curiosidad. A lo mejor encontramos algo interesante.

Bajaron con cuidado por la escalera estrecha. En el tercer piso sólo había desolación: faltaban las puertas, los inodoros, las llaves de luz. Estarían sirviendo en otro sitio. Tal vez el cuarto sin ventanas en que vieron un colchón inmundo, única prueba de población desaparecida, hubiese sido un dormitorio. El segundo piso era igual, aunque sin colchón y con una silla derribada a la que le quedaban dos patas. Pero en el primero había otras cosas, como si alguien hubiera resistido más allá del saqueo final que, en el resto de la casa, había arrasado hasta las huellas de cualquier antigua humanidad. Encontraron

41

un calentador de alcohol, una pava, un mate, un termo, una butaca de mimbre baja, un farol de camping y un cenicero de aluminio con la marca Cinzano lleno de colillas de cigarrillos sin filtro. Además de las dos estanterías con libros y cuadernos acumulados sin orden aparente.

–¿Vivirá alguien? –interrogó Kramer.

–No hay donde dormir. Pero puede que venga a leer, a tomar mate. Es más barato que un café –supuso Bruno, mirando los libros del estante que tenía más cerca.

–¿Hombre o mujer?

–Hombre. Son todas novelas policiales. *El largo adiós* es cosa de hombres. Y no te digo nada de Spillane. *Yo, el jurado*. Eso ya no es de hombres, es de machos barbudos y pendencieros.

–¿Leíste muchas policiales?

–Las que hay acá, todas. Y muchas más. Crean adicción. Al final, es como con el tabaco: no le sentís el gusto, pero no podés parar de fumar. Claro que, de vez en cuando, con un café o un whisky, lo recuperás, sentís entrar el humo en tu cuerpo como una bendición. Hallazgos fugaces que justifican todo lo demás… Escuchá. –El libro era *El largo adiós*, el primero que había reconocido, y Bruno leyó en él lo que sabía de memoria–: "Ya sé que la está buscando. Todos lo hacen. Le gustaría acostarse con ella. Todos lo desean. Querría compartir sus sueños y aspirar la fragancia de sus recuerdos. Quizá yo también lo querría. Pero no hay nada que compartir, amigo…, nada, nada, nada. Uno está solo en la oscuridad". Sólo un hombre escribe eso. Y sólo un hombre lo lee con desesperación, agradeciendo la solidaridad lejana de otro varón, un tipo que escribió más de lo que amó y que lleva varias décadas en la tumba.

—Sí, tenés razón —reconoció Kramer sin considerarlo demasiado, acatando la emoción de su amigo—. ¿Quién será el que viene a leer acá?

—Y a escribir.

Bruno había abierto un cuaderno con las páginas literalmente cubiertas por una caligrafía despareja y espesa, sin márgenes ni interrupciones. Kramer se situó a su lado y los dos empezaron a seguir el hilo de la historia que allí se narraba. La escena inicial era sangrienta: dos hijas asesinaban al padre a puñaladas, el hombre moría enseguida pero ellas seguían clavando el cuchillo en el cuerpo muerto durante largo rato. Los tres estaban desnudos. Pasado el arranque de ferocidad, las mujeres se duchaban, se vestían y se iban a un bar, donde brindaban sin decirse una palabra. Tal vez el relato viniera de otra parte, de otro cuaderno, de una orgía incestuosa o algo peor. El capítulo siguiente, separado del crimen por una raya, trazada a mano pero considerablemente recta, entraba en lo clásico, abriendo con la mirada de un policía sobre el cadáver del hombre. Era de esperar que hubiese una investigación, desviaciones, preguntas y respuestas, y que la verdad resplandeciera al final, si es que las verdades de esa clase resplandecen alguna vez.

—Una historia —dijo Kramer—. ¿Cómo la titularía?

Bruno cerró el cuaderno y le mostró la tapa:

—Los muertos no existen —leyó—. Debe de ser el título.

—O una opinión.

—También.

–¿No te gustaría conocerlo? Al escritor, digo –propuso Kramer.

–¿Después de haber invadido así sus cosas, como un violador? Me gustaría, pero me da vergüenza haberle hecho esto. Además, ni siquiera estamos seguros de que exista. A lo mejor se murió. ¿Y cómo entra en este sitio? ¿Tiene llave del candado de abajo? ¿Viaja por los techos como nosotros? ¿Y si al vernos se asusta y le da un infarto? No sé…

–Esperamos en el bar de enfrente, a ver si viene alguien.

–¿Y si viene?

–Vemos qué pinta tiene y, si nos parece, le hablamos.

Salieron por donde habían entrado. En uno de los locales de la galería, Kramer compró un bolso pequeño y metió adentro el paquete. Pasaron un par de horas en el café, pero no se presentó nadie.

Al caer la noche, volvieron a la casa de la calle Honduras.

8
Las viejas fotografías

La suprema adquisición de la razón consiste en reconocer
que hay infinidad de cosas que la sobrepasan.

PASCAL, *Pensamientos*

—Abrilo vos —pidió Kramer, dejando el paquete sobre la mesa
de la cocina.

Bruno se valió de una tijera para cortar la tela adhesiva,
ruin pero todavía resistente, y para rajar el plástico con el filo.
El papel de diario se rompió al intentar desplegarlo. Estaba
todo. El dinero y el pasaporte.

—¿Vos estás seguro de que esa guita sirve?

—Son dólares yankis, Kramer. No son billetes de la Con-
federación. Los pesos viejos y los australes sólo sirven para
limpiarse el culo, pero esto sigue siendo plata de la buena.
Tomá el pasaporte.

—No, no pienso abrirlo. Si querés, lo mirás vos, que te
morís de curiosidad, pero yo no voy a ver esa foto. Bastante
tengo con el espejo, sin necesidad de comparar.

Bruno estuvo un rato contemplando la imagen de un
Kramer joven, con todo el pelo, sin arrugas, con una corbata
ridícula y un cuello de camisa breve. Kramer lo observaba a

45

él, en busca de una señal de conmiseración o de burla, pero no la encontró.

–Eras un lindo pibe –concluyó Bruno, cerrando el pasaporte y mirando a su amigo de frente. Kramer estaba inquieto, pero él se mantuvo callado durante dos cigarrillos, aguantándose las ganas de preguntar. Finalmente, el médico habló.

–Lo que te dije el otro día –arrancó Kramer–, eso de que yo era dos, no es cierto.

–¿No?

–No. Era varios. Uno que quería morirse y otro que quería salvarse, eso sí. Pero también uno que pensaba sin querer. Porque pensar es muy difícil, Bruno, y no porque a uno no le dé la cabeza. La cabeza le da. Lo que no le da es el coraje.

–¿Miedo a enterarse?

–No, no, uno puede enterarse. El problema empieza cuando quiere hablar. De lo que descubrió. Decirle a otro mirá de lo que me di cuenta. Darse cuenta de las cosas está bien al principio, mientras no les das cuenta a los demás. Porque justo en ese momento empezás a quedarte solo. Perdés amigos. Y si sólo perdieras amigos, casi no sería nada. Es que empiezan a tratarte como si fueras un enemigo. Y al final, te sentís un enemigo. Entonces te callás, no decís que te diste cuenta, no decís que te enteraste, no decís nada. ¿Y sabés qué pasa? Que cuando no decís nada, acabás por no pensar. Y vuelta a la primera casilla, como en el juego de la oca. El Kramer que pensaba fue derrotado. Mirá, Bruno, la cuestión es que si yo me hubiera hecho caso, mi vida hubiera sido distinta. Me hubiera ido, a lo mejor hasta hubiera dicho lo que pensaba, sin miedo a estar solo. Porque el miedo a estar solo, esto lo supe después, venía del miedo en general, el que teníamos todos.

–Juan, el gallego, hizo eso. Se fue y escribió libros y esas cosas.

–Sí, él podía hacerlo. Sabía, ya había estado en otros sitios. Él no es un boludo. Yo sí.

–No sé si te servirá para algo que te lo diga, pero creo que lo mío es peor. No hice cagadas suicidas como vos, ni busqué salvarme. No hice nada. Nada de nada. Los tipos secuestraban, torturaban, todo eso, y yo iba al trabajo todos los días, y volvía del trabajo y me quedaba en casa, con la luz apagada, mirando la calle, pedacitos de calle, por las rendijas de las persianas. Vi cómo se llevaban vecinos. Lloré, sí, pero no hice nada. Como casi todo el mundo. Yo no soy un boludo como vos, soy un hijo de puta.

–No me parece, pero si a vos te tranquiliza juzgarte así, dale, sé feliz. Total, ¿quién se va a enterar?

–No, sólo yo. Y vos, porque te lo digo yo. Que soy el tipo que va a guardar este pasaporte con tu vieja fotografía. Me voy a dormir.

Se puso de pie. Kramer le detuvo cuando ya estaba en el patio.

–¿Tenés esa novela? –preguntó–. La que me leíste hoy.

–*El largo adiós*. Sí. Esperá.

Bruno volvió con el libro y lo puso sobre la mesa, junto al dinero. Después se despidió. Kramer pasó la noche siguiendo la pista de Terry Lennox. A él también le hubiera gustado cambiar de cara, pero comprendió que Marlowe no lo aprobaba, y estaba claro que era una autoridad en materia de ética práctica.

9
La visita del pasado

Me sentía aterrado porque, en realidad, los buenos eran
los malos.

JAMES ELLROY, *La dalia negra*

El domingo, a la hora de la siesta, sonó el timbre y Kramer
fue a abrir la puerta.

El que había llamado era un tipo corpulento, de pelo
blanco, tal vez de su misma edad, alrededor de sesenta bien
llevados, vestido con un traje beige de corte impecable, camisa
azul y corbata de seda. Estaba bañado en perfume. Kramer
levantó los ojos de los brillantes mocasines del desconocido
y lo miró a la cara.

—No hace falta que se lo pregunte —dijo el hombre—. No
cambió nada. Usted es Enrique Kramer.

—Sí, soy Enrique Kramer. ¿Nos conocemos?

—Yo a usted, por fotos de otra época. Yo soy Borges —sostuvo el visitante sin rubor, tendiéndole la mano—. El comisario
Borges. Vengo de parte de Juan Romeu.

Sólo entonces Kramer le estrechó la mano.

—Pase —propuso, apartándose para dejar pasar al policía—.
¿Puedo ayudarlo en algo?

—A lo mejor, con el tiempo. Ahora soy yo el que puede ayudarlo a usted.

—Gracias. ¿Le molesta que lo reciba en la cocina? Podemos tomar café…

—Generoso por su parte —comentó Borges—. En las viejas casas de esta ciudad se vivía en las cocinas pero se recibía en las salas. Sólo pasaban de ahí los de más confianza.

Bruno dobló el diario que estaba leyendo y se puso de pie para saludar.

—Mi amigo Bruno Rotta —presentó Kramer—. El comisario Borges. Póngase cómodo.

Borges se quitó el saco y lo colgó con cuidado en el respaldo de una silla. Después se sentó en otra. No iba armado.

Bruno sirvió café y puso sobre la mesa dos vasos con hielo y una botella de whisky antes de dejarlos solos.

—Vine a decirle algo que a lo mejor sospecha pero que no sabe con seguridad —declaró el comisario mirando a Kramer a los ojos—. Usted existe. Sólo necesito una fotografía suya de ahora para demostrárselo con documentos.

A Kramer le pareció raro que un policía mirara así. Todos los que había conocido distraían la vista en objetos invisibles.

—¿Quiere decir que no estoy oficialmente muerto? —quiso confirmar.

—No hay certificado de defunción y no está en ninguna lista de desaparecidos.

—¿Hay más de una?

—Muchas, además de la oficial. Yo tengo acceso a todas. Y usted no figura. Tampoco hay causas pendientes, ni las hubo nunca.

—Usted…

—No, yo no desaparecí a nadie, aunque le cueste creerlo. No todos los policías ni todos los militares lo hicieron. Fuimos pocos los que conseguimos eludirlo. Y pagamos un precio por no pringarnos… A los que se negaron de frente, los liquidaron. A los que nos hicimos los boludos, nos fueron postergando. Yo fui cabo hasta el 83. Después me hicieron recorrer todo el escalafón en cinco minutos. Pero no tengo comisaría, estoy en un agujero, en una oficina. En fin…, no vine a contarle mi vida, sino a hablar de la suya.

—¿No la conoce?

—No completa. A veces hay claros en los prontuarios. En el suyo, uno notable. No se pasó dieciocho años durmiendo. Sólo tres y pico, del 96 al 2000. Entre el 83 y el 86, estuvo en la Patagonia.

—Cierto, en un pueblo de mierda, cerca de la frontera chilena. Creí que había pasado desapercibido hasta que me enteré de que alguien me buscaba.

—Tenía otro nombre y los papeles de un muerto mal falsificados. Pero todo se sabe. En el 86 se subió a un colectivo y no volvieron a verlo por ahí.

—¿Sabe quién me buscaba?

—No. Pero la policía no era. Se fue al Paraguay. No sé cómo entró en el país.

—Como se entra en esos países, comisario. De noche y dándole unos pesos al gendarme.

—Entonces se llamaba Alonso y consiguió trabajo en un hotel de Asunción porque hablaba alemán. Siete años en paz, hasta finales del 93. ¿Por qué se fue?

—Apareció alguien que me conocía y que me parecía peligroso.

—Roselli, me imagino, o alguien parecido. Usted fue testigo de muchas cosas. Demasiadas. Para ellos hubiera estado mejor muerto.

—Sí.

—Entre el 93 y el 96, estoy perdido. Falta ese tiempo en su historia.

—Volví a Buenos Aires. Alonso volvió a Buenos Aires y sobrevivió como pudo. Alquiló una casita en Burzacco, justito al lado de una villa, y convenció a los del barrio de que era electricista. Esas cosas se me dan bien.

—¿Sólo eso?

—Sólo eso. Y la ginebra. Uno sabe dónde toma la primera copa, pero no sabe dónde toma la última. Alonso empezó un día en Lanús y acabó en Corrientes y Esmeralda. Ahí, alguien lo vio y se dio cuenta de que no era Alonso, sino Kramer. El resto lo sabe. Me doparon y me mandaron a dormir a la clínica de Franzetti, viejo amigo de los milicos.

—Lo que me sorprende es que no lo hayan matado. Era lo más fácil, ¿no?

—Sí, pero ella no lo iba a permitir.

—¿Se refiere a Mariana?

—Veo que también sabe eso.

—Sí, fue su amante. Está registrado.

—Colaboró con ustedes, ¿no?

—Y con los otros y con los de más allá. Hay gente así, que colabora. Por lo que tengo visto, es genético.

—Puede ser.

—Pero eso no explica nada. ¿Por qué iba a mantenerlo vivo? ¿Aún lo quería?

—No. O sí. Como siempre. No se equivoque: no es que me quisiera vivo. Me quería no muerto, como los zombis. No muerto para poder seguir matándome. Había estado matándome desde el 70 y yo me había escapado. Era eso lo que le daba placer: matarme. Y para eso, uno tiene que no estar muerto. Tampoco es imprescindible que esté realmente vivo. Basta con un punto intermedio, no sé si me explico.

—Me parece que sí.

—Ahí, dormido, me iba muriendo. Sospecho que cada tanto iría a verme, a comprobar la degradación. Lenta y sólo del cuerpo, porque el alma la tenía apagada, desconectada, como se le ocurra llamar a eso. Un cuerpo inactivo se va deshaciendo, pierde funciones, masa, propósito. Aparentemente, no le pasa nada, es una situación estacionaria, pero si usted va a ver al no muerto una vez al mes, por ejemplo, se va a dar cuenta de que mengua. Claro que algún cuidado me habrán dado, porque tenía pocas escaras y eso es señal de que alguien se ocupaba de moverme, de prever y evitar que me pudriera de verdad. Ya sabe, de las escaras a la gangrena y a la muerte. No pasó eso. Querían, alguien quería, que no me muriera del todo porque si no, no habría podido seguir matándome.

—¿Y si no lo hubieran despertado?

—No me despertaron. O sí, aunque no lo creo. Galvani se hizo célebre electrocutando ranas muertas, que se estiraban al paso de la corriente y parecían vivas. Eso fue lo que hizo el doctor Campbell: me resucitó en falso, me pasó de zombi a vivo aparente. Hago cosas, me muevo, hablo con usted, pero sé que es un préstamo, o una donación, porque pagar no voy a poder pagar nunca este tiempo. A lo mejor soy yo, pero esta no es mi vida.

—Es una oportunidad para la redención.

—No me diga eso, usted es policía, no sacerdote.

—Todos somos sacerdotes alguna vez. Y se lo digo porque lo veo muy jodido. Usted quiere usar lo que le quede para hacer algo grande y puede que sólo tenga que hacer algo chiquito, o nada, para salvarse, para justificar su vida. ¿Sabe? Tengo la sensación de que usted nunca hizo lo que quiso, ni lo que pudo, sino lo que los demás le hicieron hacer.

—Algo así —reconoció Kramer.

—Cuando se fue de Buenos Aires, en el 83, ya no lo buscaba la policía ni el ejército.

—Quedaban muchos en actividad. Pero yo escapaba de mis compañeros, comisario. De Mariana, en primer lugar. Pero también de los demás, incluso de tipos a los que no conocía. Gente de los dos lados, que se había puesto de acuerdo para usarme, a mí y a otros. Me había pasado varios años convencido de que estaba militando, ayudando a gente desesperada, en una especie de cruz roja clandestina, cuando me di cuenta de que había formado parte de un negocio, un gran negocio, una empresa de secuestros, rescates y venta de bebés robados… Y me había enterado. Sin querer, pero me había enterado, así que estaba sentenciado.

—Sí, hubo muchos acuerdos de esa clase. Más de los que nadie puede imaginar. Y es que la gente que administra la violencia, no importa a quién sirva o a quién crea servir, acaba por parecerse mucho. La clandestinidad es una parodia del espionaje, amigo Kramer. ¿Tiene una foto de ahora?

—No. Pero me la haré.

Borges sacó una tarjeta de la cartera.

–Métala en un sobre y mándemela a esta dirección. Si lo hace mañana, antes del viernes tendrá sus documentos. ¿Piensa quedarse por acá?

–Tengo una prima en el norte. Voy a ir a visitarla y después veré.

–En la tarjeta está mi teléfono. Si necesita algo, llámeme. Si no estoy, deje un mensaje con toda confianza. No lo escuchará nadie más que yo. Romeu me pidió que lo cuidara. Tengo deudas de honor con él, así que lo voy a cuidar aunque usted no quiera.

–Gracias.

Kramer jamás había imaginado despedirse con tanta cordialidad de un policía. Acababa de leer en Chandler que lo malo de los policías es que uno está preparado para odiarlos y de pronto se encuentra con uno que se porta como un ser humano.

–¿Y? –quiso saber Bruno tan pronto como se cerró la puerta.

–Desconcertado, che.

–¿Qué querés decir?

–Resulta que yo no sé bien quién soy, pero la cana sí lo sabe. Al menos, este cana. Y lo más curioso es que no me asusta. Ya no.

55

10
La fuga del hogar

*… un día descubrí que mi situación en la ciudad se había
vuelto irrespirable.*

MARCELO BIRMAJER, *El pañuelo amarillo*

Los acontecimientos se fueron deslizando. Unos días después
de la visita de Borges, un adolescente pálido le entregó a Kramer, sin pedirle que firmara nada, un sobre que contenía un
documento de identidad y un pasaporte a su nombre. El chico se alejó a buen paso, como si temiera ser devorado por la
miseria que, en un barrio de clase media como aquel, crecía a
ojos vista y se metía por debajo de las puertas "como un diario
de suscripción involuntaria o el vapor de las pestes bíblicas en
las películas", apuntaría más tarde un escritor.

En diciembre, los bancos anunciaron que se quedarían
con el dinero de los depositantes y que al cabo de un tiempo
devolverían tan sólo una parte. Los que aún no se habían
hundido se hundieron entonces: todo parecía indicar que era
el golpe de gracia para los náufragos, habituados a ir al muere
lentamente y sin sorpresas. Tal vez se esperara que tampoco
ahora se dieran cuenta de que estaban muy debilitados y muy
lejos de la costa, pero se dieron cuenta y empezaron a hacer

ruido, empezaron a golpear cacerolas en los barrios periféricos de la ciudad, cosa que no les salvaría la vida pero al menos les proporcionaría una muerte sonada. Si uno pegaba con fuerza en la olla de aluminio ya abollada que había rescatado para ese menester, el vecino lo superaba dando con toda su alma en la palangana descascarillada que llevaba meses durmiendo debajo de la pileta del patio. Usaban fierros descartados, cucharones destinados a una sopa que se había acabado, palitas que una vez habían comprado para que el chico jugara en la arena. Una arena que tal vez se hubiese acabado también. Pero no tenía demasiado sentido hacer todo eso en casa, así que salieron a las puertas, al menos los que vivían en casas con puertas, que no eran todos, porque muchos se resguardaban en taperas separadas del mundo de barro de alrededor por un pedazo de arpillera, última forma de una bolsa de papas o de carbón.

Ahí, en las calles, sin una palabra que los uniera, vinculados únicamente por el estruendo común, se sintieron acompañados por primera vez en mucho tiempo. Era un acompañamiento inestable, que duraría menos que la desesperación, pero servía para darse coraje y echar a andar hacia alguna parte. Hasta aquel momento, habían sido improvisados obreros de la construcción o changadores o camioneros o taxistas o empleados o desocupados o profesionales; ahora sólo eran muchos, y el ser muchos era lo que daba sentido a su marcha. Algunos se habían considerado miembros de la clase media hasta el minuto anterior, pero el crescendo de utensilios de percusión venía a convencerlos de que ya formaban en la gruesa tropa de los menesterosos. Tal vez ese sentimiento de comunidad en lo peor haya sido lo que los empujó a caminar. Hacia el centro de la ciudad, donde estaba el gobierno, donde estaban los inabordables edificios de los bancos, donde estaba el poder.

A medida que avanzaban, a los inicialmente exiguos grupos de devastados se les iban sumando otros, igualmente ruidosos. Al amanecer, eran muchos miles los que habían llegado hasta las puertas de la Casa Rosada. Agraviados de todas las edades y condiciones, ancianos, baldados, extraviados, pedían a gritos que se fueran todos los que mandaban en aquel momento. No explicaban adónde debían irse. Los aludidos, finalmente, no se fueron: siguieron mandando, entre otras cosas, porque eran los únicos que tenían costumbre y no había quién los reemplazara. Pero en aquel momento hubo quien imaginara la posibilidad de que desaparecieran del horizonte para poder hacer algo. Por ejemplo, reconstruir el pasado.

El griterío no despertó al presidente, que había tomado pastillas para dormir y que no salió de su trance hasta después de haber sido separado de su cargo. Ya no había gobierno, y no lo habría hasta los primeros días del año siguiente. Pero aún había aparatos de Estado y había alguien en algún despacho dando órdenes, de modo que no tardaron en aparecer policías a caballo, en coches antidisturbios y de a pie, repartiendo mandobles, chorros de agua a presión, gases lacrimógenos y balazos. Mataron a más de veinte y enviaron al hospital a un centenar largo de congregados.

Bruno y Kramer estaban ahí cuando sonaron los primeros tiros, justo al otro lado de la Plaza de Mayo, en la esquina noroeste. Habían seguido a una columna desde la casa de la calle Honduras, por curiosidad y con indolencia, sin cacerolas ni palanganas ni baldes ni sartenes. La iniciativa había sido de Bruno.

—¿Qué querés? —le había dicho Kramer—. ¿Ir a ver cómo no les hacen caso?

Los dos echaron a correr como pájaros espantados por el estampido, primero en busca de la protección de las recovas de Leandro Alem, después huyendo hacia el lado del río, más allá de la gran avenida desierta. Encontraron calles inhóspitas, de aire portuario y fabril, y por ellas buscaron el norte. Tenían que recorrer el camino de regreso como el de ida, caminando. Fueron parando donde podían, en plazas vacías o improvisados asientos: cajones de fruta abandonados y hasta un par de sillas rotas: ya no eran jóvenes.

Se detuvieron a fumar en una esquina despoblada en la que alguien había abandonado un sofá destripado por el uso.

—¿Será una revolución? —dudó Bruno.

—No —desmintió Kramer—. Las revoluciones tienen jefes. Esto es un paseo triste, un berrinche. Además, ¿quién quiere una revolución?

—Los revolucionarios.

—Eso no hay, che. Nunca hubo, me parece. Revolución es sólo una palabra que usan los políticos que tienen más apuro o menos recursos que otros para llegar arriba. Te lo puedo asegurar porque hubo un tiempo en el que yo me lo creí. Me tragué hasta el último argumento, el socialismo, el hombre nuevo, todo eso. Había unos jefes, ¿sabés? Y ahora son ministros. A lo mejor mañana, por esta pelotudez de las cacerolas, los que todavía no son ministros llegan. O a presidente, quién sabe. Vos te quejás porque te parece que no hiciste nada en aquella época, te hacés reproches por no haber estado con los valientes, con tipos que creían en grandezas históricas, porvenires con auroras luminosas y tenores obreros en el Colón. Un hombre no es mejor porque crea cosas, Bruno.

—¿Y qué hay que hacer para ser mejor?

—No sé. Depende. Es bueno amar a la propia gente. Es bueno preservar lo que se tiene. Es bueno trabajar, aprender. Yo creía que había que cambiarlo todo, que con eso bastaba. Perdí todo lo que había podido tener y no cambió nada. Tampoco me había puesto a imaginar cómo tenía que ser el cambio. Entonces pensé que habría sido mejor no intentarlo. Hasta tendría hijos, mirá.

—Yo no hice nada y tampoco tengo hijos.

—Te enamoraste y no te fue bien. Es más que lo que consiguieron otros. Y estás vivo.

Siguieron su camino en silencio.

—¿Cuándo nos vamos a ver a tu prima? —preguntó Bruno poco antes de llegar a la calle Honduras.

—Mañana, si querés. Acá no hay nada que hacer, ¿no? Hoy descansamos.

—Mañana, bueno. A la tardecita, así no nos mata el sol.

SEGUNDA PARTE

En viaje

11
Servicio fúnebre

Los hombres mueren y no son felices.
ALBERT CAMUS, *Calígula*

Era el amanecer del segundo día. Habían hecho noche en Casilda y llevaban un rato por caminos secundarios, eludiendo Rosario. En la radio habían dicho algo sobre manifestaciones y detenciones. El Paraná discurría a la derecha, hacia el sur, un río amulatado con venas verdosas y orillas indefinidas. De tanto en tanto, unos palos o unas ramas sin desbastar fingían la estructura de una tienda, cubierta de trapos viejos, desdeñadas sábanas, bolsas, colchas o cortinas, revelando una habitación humana efímera, dispuesta para ser barrida por la primera creciente del agua turbia. El aire ardiente y pegajoso estaba espeso de bichos sin prontuario zoológico. Algunos picaban. Kramer y Bruno se habían llenado de vitamina B para que el sudor los ahuyentara, pero no todos los animalitos conocían esa parte de su propia naturaleza y atacaban sin hacer caso del olor. De pronto, la estrecha senda de ripio se apartó de la ribera y los llevó hacia el interior.

Un par de kilómetros más allá, en un sitio desde el cual no se alcanzaba a ver la corriente, había una estación de servicio a la derecha del camino. Al menos, eso era lo que decía el cartel: estación de servicio. Pero si les hubiera hecho falta una rueda de repuesto, no la habrían encontrado ahí. Sólo era un surtidor de nafta, una única bomba, una única calidad. También había una casita diez metros más allá, una prefabricada de dos piezas. De ella salió el dueño, o el encargado, o lo que fuera.

Los dos bajaron del coche.

—Depósito lleno —dijo Kramer a modo de saludo.

El hombre se acercó despacio y estudió a fondo la manguera antes de mirar el automóvil y convencerse de que podía hacer lo que le ordenaban. Mientras, Bruno fue hacia la espalda de la casa, siguiendo una flecha que subrayaba toscamente la palabra baño escrita a mano. Podía haber meado en cualquier parte, en la cuneta. No había nadie. Alguna vaca, mirando como miran las vacas, sin verdadero interés y siempre a algún punto remoto. Pero él no estaba acostumbrado a esas cosas del campo, a ir a hacer sus necesidades entre los yuyos.

El baño no era un baño, ni siquiera un urinario completo: sólo una pared, alta hasta su cintura, a la cual arrimarse. Si las moscas se apartaban un poco. Se desabrochó la bragueta y se la sostuvo con la derecha mientras espantaba insectos con la izquierda. Justo enfrente de él había una vivienda, improvisada con latas y pedazos de arpillera. Salió de ella una mujer. Gorda, con una bata abierta y grandes tetas caídas. Le faltaban todos los dientes de arriba. Se acercó lo justo para ver lo que Bruno estaba haciendo.

—Hola —dijo.

—Hola —respondió él, intimidado y mojándose los pantalones para esconder lo que no le gustaba mostrar.

–¿No querés pasar un ratito? –preguntó la gorda, señalando la chabola.

Bruno no se atrevía a negarse en redondo, de modo que se quedó callado, buscando una excusa. Pero se libró: la mujer habló por él.

—No, no querés, ya veo –dijo–. Vos sos de ciudad, limpito. Tenés concha gratis. No me necesitás a mí.

Volvió a entrar en el sucucho sin despedirse. Bruno se sintió aliviado. Regresó al coche. Kramer ya estaba sentado al volante. Le contó lo que le acababa de pasar.

—Lástima que no me lo dijo a mí –se quejó el médico–. Le hubiera enseñado algo, pobre mujer.

–¿Sí? ¿Qué?

—Que no hay conchas gratis. No hay nada gratis, pero eso es lo más caro siempre.

Apretó el acelerador sin demasiados resultados. La velocidad se mantuvo.

Pasaron por un pueblo sin detenerse. Ni siquiera salieron perros a ladrar.

Más adelante, el camino bordeaba una villa. Más taperas. Centenares de taperas hechas con materiales inexplicables, llegados desde otro país o desde otro planeta en el que las latas, las bolsas, los cajones, habían estado llenos una vez de algo que alguien había consumido, vaciado, dejado en cáscara. De las cáscaras parecía vivir la mayoría.

—Cuando empecé a estudiar medicina –contó Kramer–, iba a la morgue del manicomio. Del Borda. Había un tipo ahí que se llamaba Molina. Sólo me acuerdo del apellido y de la cara, y de un libro maravilloso de dibujos que había hecho, dibujos del sistema nervioso. Molina era un gran anatomista, probablemente mucho mejor que los profesores que teníamos en la facultad, pero no era médico. A saber por qué, no había llegado a tener el título. Pero daba clases en la morgue, íbamos a disecar con él, era el verdadero maestro. Siempre sospeché que él vivía ahí, en aquella cueva helada llena de fiambres. Teníamos que cruzar todo el hospital para llegar a ese sitio, y no sé qué era más tétrico, si la pieza que funcionaba como sala de disección o aquellos jardines abandonados… A las siete de la mañana, había locos por ahí, sentados en los bancos de los paseos, medio enterrados en hojas secas, que nos llamaban y nos pedían cigarrillos. ¿Te aburro con esto?

—No, seguí, ahora quiero saber cómo termina.

—No termina, pero sigo igual. Había encerrados de todo tipo. Locos de libro, que hablaban solos y no veían nada a su alrededor, tarados sin remedio, con la camisa o la camiseta llena de babas, autistas que se balanceaban y piantados interesantes, con teoría, que a veces decían cosas brillantes. No sé qué comían, ni cuándo, ni si los veía algún psiquiatra, pero pasaban los días y los meses y los volvías a encontrar, igual de flacos, igual de piojosos, igual de demolidos. Se sabía, o se decía, que por las noches iban mujeres, putas carroñeras que algo sacarían de aquellos restos… Sí, debía de ser cierto, yo una vez vi salir a una. Flaca como un fantasma. Sin dientes. Nadie tenía dientes por ahí. ¿Y sabés qué? Ahora veo esto, las villas, y tengo la sensación de que el manicomio se extendió, de que todas estas casuchas que se las lleva el viento son una prolongación del loquero, pero sin Molina, sin morgue.

Un muchacho les hizo señas: estaba de pie junto a la carretera, con un gran paquete a su lado, un envoltorio de lona atado con sogas de diferente grosor, algunas como nuevas, otras deshilachadas e impregnadas de hollín.

Avanzaban muy despacio porque los baches ponían el coche en peligro. Kramer pisó el freno y el chico se acercó. Bruno bajó del coche y saludó con un gesto mientras encendía un cigarrillo. El otro lo miró con codicia.

—¿Me da uno? –pidió.

Bruno se lo dio.

—¿Van para el lado del río? –quiso saber después.

—No sé –dijo Bruno–. A donde nos lleve el camino. Vamos al norte.

—El camino va para el río. No el grande.

—El Paraná, querés decir.

—Eso. No va para ahí. Va para otro, chiquito, que pasa cerca. Yo iría caminando, pero no puedo con la carga.

Kramer también bajó del automóvil. Miró el paquete con desconfianza. El olor le resultaba conocido y estaba a unos veinte metros.

—¿Qué llevás? –averiguó.

—Es mi viejo –declaró el joven, sin emoción–. Se murió. Quiero enterrarlo y acá no puedo, no me dejan y el suelo es muy duro. En la orilla del río la tierra está blanda… Llevo una pala también, atada del otro lado.

Kramer fue hacia donde estaba el muerto. La lona había dejado de ser una lona: era una mortaja. Inmunda. Arrastrada.

—¿De qué falleció? –usó la palabra, que le repugnaba, para no quedarse pegado a la imagen.

—No sé –dijo el muchacho–. Se quedó durmiendo. No estaba enfermo.

69

—¿Y vos? ¿No estás enfermo?

—No, estoy bien.

El médico quiso asegurarse. Le tocó la frente y le tomó el pulso. No podía hacer más.

—¿Tosés mucho?

—No. El viejo sí que tosía.

—¿Escupía sangre?

—Hace mucho. Después dejó de escupir, se puso bien.

Kramer aceptó la versión porque le pareció más urgente resolver el problema del cadáver que diagnosticar una tuberculosis.

No cabía en el asiento trasero ni en el baúl. No era seguro que resistiera atado al techo pero había que intentarlo. Bruno había comprado el coche con esa parrilla arriba porque se lo habían ofrecido así: no había comprobado su aguante, no pensaba llevar nada ahí. No fue fácil subirlo: apestaba. Tuvieron que soltar la cuerda para sujetarlo con ella. No pesaba gran cosa, pero estaba duro como una tabla y costaba manejarlo.

Unos pocos curiosos salidos de quién sabe dónde se fueron juntando. Miraban.

—¿No hay un cura por acá? —preguntó Bruno a nadie en particular. No obtuvo respuesta.

El hijo se sentó detrás. Arrancaron a paso de hombre, no fuera a ser que la carga se soltara antes de llegar a destino.

El recorrido fue corto. El camino se desviaba ahí, hacia el Paraná, tal vez. El río no alcanzaba a ser un río, pero la tierra húmeda y cubierta de verde de las orillas indicaba que de tanto en tanto crecía, y crecía mucho. Bruno pensó que si lo enterraban en ese sitio, acabaría por reaparecer en cuanto el terreno se anegara y el agua lo arrastraría.

Vio un muro blanco al otro lado de la corriente.

—¿Qué es aquello? —quiso saber.

—Un cementerio —respondió el muchacho—. Pero está del otro lado.

—¿Y qué más hay del otro lado, aparte del cementerio?

—Nada, un pueblo, pero más allá.

—¿Y no se puede pasar?

—Con el auto, no.

—Y el río ¿es muy hondo? —intervino Kramer.

—Un poco —vago, el muchacho—. Y yo no sé nadar.

Kramer se sacó los zapatos y los pantalones, y echó a andar hacia el agua. El curso era suave y lo atravesó sin mojarse más que las rodillas.

—Vamos a pasarlo —dijo cuando volvió.

Bajaron el cuerpo, repusieron las cuerdas en su sitio y lo llevaron hasta el borde de lo que en ese momento era un arroyo marrón.

—¿Cómo te llamás? —preguntó Kramer.

—Segundo —declaró el joven.

—¿Y tu padre?

—Igual. Segundo.

—¿No tenés apellido?

—No sé, López me parece. El viejo me lo dijo, pero me olvidé.

—Está bien. Agarrá de aquel lado.

Sostuvieron el paquete por las puntas. Bruno se situó en el centro y sostuvo esa parte, aliviando el esfuerzo de los otros. Pensó que nunca más se iba a poder quitar de encima el olor a podrido.

La rigidez del muerto les permitió llevarlo a hombros hasta el camposanto, un conjunto de tumbas olvidadas que nadie visitaba desde hacía mucho. Del portal de hierro que en el pasado había cerrado el recinto, quedaba una sola hoja, la otra yacía vencida unos metros más allá. Las lápidas, donde las había, estaban rotas. Donde no las había, no quedaba nada. Sólo una cruz se había mantenido milagrosamente en pie, junto al muro.

Se turnaron para cavar, cerca de la entrada, donde menos posibilidades tenían de desenterrar a alguien. Cuando terminaron, o consideraron que la profundidad era suficiente, Bruno miró su reloj. Eran las cuatro. En esas fechas, les quedaban horas de luz.

Los tres pusieron al muerto en la fosa. Después, Segundo se puso a echar tierra sobre él con furia y los otros se apartaron.

Kramer, con los ojos bajos, pareció ausentarse. Bruno se persignó, se cruzó de brazos y esperó.

Segundo, hijo de Segundo, quizá López, golpeó el suelo con la pala anunciando el final de la tarea. Salió del cementerio sin mirar atrás. Volvieron a cruzar el arroyo. Junto al coche, Bruno tendió la mano para despedirse.

—Chau, Segundo —dijo.

—Chau —contestó el otro, sin hacer caso del gesto de Bruno.

Nadie le había enseñado a dar la mano.

Kramer no dijo nada. Se puso al volante y encendió el motor. Bruno se sentó a su lado y Segundo echó a andar hacia el sitio del que había salido con su padre muerto.

12
La bruja

Sabe lo que piensas. Escucha y calla.

WILLIAM SHAKESPEARE, *Macbeth*

Siguieron hacia donde suponían que estaba el norte. Habían pasado Sunchales y avanzaban hacia Fortín Olmos.

—¿Cuándo cruzamos la frontera? —preguntó Bruno al cabo de un rato.

—¿Qué frontera?

—La que separa la Argentina de este país.

—Ah, esa... Hace unos cuarenta años, más o menos. Pero hay quien dice que hace setenta. La verdad es que ya nadie se acuerda, ¿no?

—Yo la crucé ayer, o esta mañana, me parece.

—Vos sí, pero la mayoría ya estaba de este lado.

Kramer encendió la radio y la voz de Gardel empezó a sonar en el coche. "Por una cabeza".

—¿Por qué preguntaste si había un cura? —recordó Kramer.

—Por nada. Para que dijera algo, para que el tipo no se fuera así, pelado, sin una despedida... Yo recé todo el tiempo mientras cavaba. Pero no es lo mismo.

—Nunca te lo pregunté... ¿Sos católico?

—A ratos. Cuando lo necesito, como hoy. ¿Y vos?

—No. Yo soy judío.

—¿Vos? ¿Kramer, el alemán?

—Sí, yo. ¿Qué es lo que te extraña tanto?

—No sé. Sos alto, rubio, tenés apellido alemán, Campbell te conoce de toda la vida y te llama el alemán… Claro que tu prima se llama Feinsilber, tendría que haberme dado cuenta, pero es que ni siquiera lo pensé…

—Sí, tenés razón, yo no me ocupé nunca de negar el estereotipo. Es más cómodo pasar por alemán que decir que uno es judío.

La conversación se detuvo ante la imagen de una mujer sentada en el medio del camino, justo al final de una curva. Kramer clavó los frenos.

—¡Mama mía! —se quejó Bruno—. ¡Otro muerto!

Kramer no le hizo caso. Bajó del coche.

—¿Qué hacés ahí sentada? —gritó—. ¿No ves que te van a matar?

—¿Quién? ¿Usted? Si frenó. Y es el primero que pasa desde hace una hora. Si me paro por ahí y hago señas, nadie me da pelota, siguen todos. Y yo quiero que alguien me lleve.

—¿Adónde?

—A donde sea, al norte.

Bruno no se movió de su asiento, esperando un desenlace.

—Subí —dijo Kramer a la chica.

—Gracias.

Se presentaron. Ella se llamaba Marina.

—La bruja —aclaró.

—¿Y eso?

—Los que me conocen me llaman así.

—Por algo será —afirmó Bruno.

—Porque soy bruja. O maga, si te gusta más la palabra. Adivino cosas. Me gano la vida con eso.

—¿El porvenir?

—También. Pero puedo decirte lo que llevás en el bolsillo.

—¿Sí? Dale.

Marina cerró los ojos y empezó a enumerar.

—Cien dólares en billetes de diez y un papel con una dirección y un teléfono. No conocés a esa persona, la vas a conocer.

—Eso en el derecho.

—Sí, esperá… En el izquierdo, un pañuelo sucio. En el de atrás, un sobrecito con ruda macho y romero, ramitas atadas en cruz, como hacía tu abuela, para la suerte, y tus documentos. Hay más plata en el cinturón.

—Impresionante —confirmó Bruno.

Kramer volvió a frenar.

—Bajate —le dijo a Marina.

—¿Por qué? —la defendió Bruno.

—No quiero viajar con una persona que me ve el culo a través de los pantalones. Es bruja de verdad.

—Por eso te conviene llevarme —argumentó ella—. Siempre es una ayuda ir con alguien que ve lo que uno no ve, ¿no?

—Es igual, no quiero ver más de lo que veo.

—Desconfiás… —dedujo ella.

—Claro, ¿cómo no voy a desconfiar? Si con todo ese poder te encuentro tirada en una carretera secundaria en el fin del mundo, será porque viniste a buscar algo, a hacer algo. Si no, estarías como una reina en París.

—¿Y si vine a buscar algo, qué?

—Nada, vos sabrás, pero…

—Pero ¿qué?

—No sé. Pero no me gusta.

Siguieron adelante. Kramer miró a la mujer por el retrovisor, en busca de una expresión de triunfo que no encontró.

—¿Y no tenés apellido, vos? —provocó Kramer unos kilómetros más adelante.

—Morgenstern —declaró ella.

—Bonito. Sobre todo para una chica que se dedica al porvenir.

Inesperadamente, el camino de ripio se terminó y entraron en una carretera asfaltada. El tráfico era escaso y había en el aire una pereza borrosa, de domingo suave o de día de huelga. En un cartel enorme, tal vez de madera y clavado en un poste inútilmente alto, se leía "parrilla". Se acercaron. El anuncio correspondía a una casa pequeña y deteriorada, con unos bancos y unas mesas fijados al suelo en el exterior, una especie de patio lleno de malezas. Olía a fuego de carbón. Kramer hizo sonar la bocina y los tres bajaron del coche. Salió un hombre en camiseta, descalzo y con unos pantalones que habían conocido su mejor momento hacía años.

Bruno alzó el dedo, señalando el cartel.

—¿Hay algo de comer? —preguntó.

—Haber, hay —respondió el parrillero—. Lo que no sé es si le puedo dar.

—¿Por?

—La carne no tiene precio. Los chorizos tampoco. Nada tiene precio. No hay más precios.

—Cóbreme caro —propuso Bruno.

—¿Cómo me va a pagar?

–En dólares, si quiere.

–Ajá –meditó el otro, rascándose un hombro–. Dólares. ¿Y pesos no tiene?

–También tengo.

–¿Van a comer los tres?

–Sí. Asado y chorizos. Y vino con soda.

–¿Veinte?

–¿Pesos?

–Dólares. Valen más. Allá tienen presidente siempre.

–De acuerdo. Veinte dólares.

–Siéntense.

Se acomodaron en los bancos, Marina a un lado de la mesa y los dos hombres al otro. Una mujer trajo una botella de vino y un sifón. Se retiró sin decir una palabra. Les llegó el aroma de la carne que se estaba asando. Kramer tragó saliva.

–¿Adónde vas, piba? –quiso saber Bruno.

–Al mismo sitio que ustedes.

–Ya está. Ahora resulta que sabés adónde vamos… –se quejó Kramer.

–Claro que lo sé. A Yacaré Viejo.

Kramer se quedó mirándola con aire preocupado.

–Das miedo –dijo–. ¿Qué vas a hacer allá?

–Es una historia larga.

–¿Muy larga?

–Más de ochenta años.

–Dale, tenemos tiempo.

–Sí, ya sé que tenemos tiempo.

13
Revoluciones y fugas

No sólo estamos todos en el mismo barco, sino que estamos todos mareados.

CHESTERTON, *Lo que está mal en el mundo*

Trajeron la carne, y una fuente con tomates y cebollas cortados.

—La cosa empieza en Rusia —contó Marina—. Cuando la revolución.

—¿Abuelos o bisabuelos?

—Bisabuelos. Y abuela, que había nacido en el 12. Y tías abuelas más jóvenes.

—¿Comunistas?

—Ni por joda. Ricos de Petersburgo. Y, para colmo, judíos. Lo tenían todo para perder, y lo perdieron todo. Mejor dicho: lo abandonaron. Salieron rajando.

—Algo se llevarían —terció Bruno—. Lo puesto y alguna cosa en el bolsillo, unos rublos sueltos, un diamante metido en el culo, que es donde se llevan los diamantes cuando uno escapa, ¿no?

—Sí, supongo que sí. Los rublos, para sobornar guardias. Y el diamante para después. O no era un diamante, quién sabe, un collar cosido en el ruedo de una enagua, un anillo en el taco de una bota… Tendrían un resto para cuando llegaran a Shanghai.

—¿Shanghai? ¿Qué carajo fueron a hacer a la China?

—No tenés por qué asombrarte. Era lejos, pero no tanto como si hubieran salido de Buenos Aires. Viajaban por tierra, en trenes o carros o carruajes, en lo que fuera que encontraran en cada sitio.

—¿Y por qué no se fueron a París, a Londres, qué sé yo, a la civilización?

—Porque en París y en Londres había guerra, y en Alemania también… ¿Vos tenés idea de eso? Guerra mundial había. Y Rusia…

—Está, está, paz, pan y trabajo, todo el poder a etcétera.

—Eso. Por eso se fueron a Shanghai. Ahí había de todo. Una escuela francesa para mandar a mi abuela Sara y a sus hermanas, y mucho comercio. Mi bisabuelo reconstruyó su fortuna. Vos sabés que los ricos, cuando se empobrecen, o vuelven a hacer una fortuna o se mueren en la miseria más completa, no hay términos medios. Él pudo y lo hizo. Pasaron diez años en China. En el 27, otra revolución.

—La del Kuomintang.

—Esa. Se largaron a Berlín. A mi abuela la mandaron a París. En el 32, a los veinte años, se enamoró de un argentino. Un violinista que había llegado con un cuarteto de tango. Mi abuelo, Isaac Bernstein, que murió jubilado de la orquesta del Colón. En el 33, la bobe les escribió a los padres diciendo que se casaba y se iba a Buenos Aires. Acababa de subir Hitler y algo debían de haber comprendido los viejos porque le dijeron que sí, que muy bien, que se fuera.

—La veían venir.

—A lo mejor. Pero si tuvieron la lucidez suficiente para alejar a la hija mayor, no les alcanzó para salvarse. Se quedaron en Berlín demasiado tiempo. Cuando quisieron salir, era tarde. No hubo manera. Los deportaron. A ellos y a las hermanas de la bobe. Murieron en distintos campos.

—¿Sabés en cuáles?

—Sí. En Dachau y en Ravensbrück. De los primeritos, como auténticos pioneros de la muerte.

—¿Cuándo se enteraron?

—De los detalles y el lugar, mucho después. De la deportación, en seguida. Mi mamá había nacido en el 35. No sé si por la angustia de la batalla por sus padres, la bobe no volvió a quedar embarazada. Y al final no quiso tener más hijos. Decía que para qué traer más judíos a este mundo, donde no los quiere nadie y pasan las cosas que pasan.

—Tenía razón —confirmó, ominoso, Kramer.

—Mamá sólo me tuvo a mí. Y bastante tarde. En el 75.

—¿Y tu papá?

—Lo desaparecieron en el 76. Mamá lo vio morir.

—¿Estaba con él?

—No. Lo vio. Ella lo veía todo.

—¿Como vos?

—Sí.

—¿Por eso vas a Yacaré?

—No. Eso está arreglado hace mucho. Lo de los viejos y las tías, todavía no. Y lo que pasó en los lager lo vi yo.

—¿No es tarde para la venganza?

—Nunca es tarde. Vos deberías saberlo, porque sos judío.

—Sí. Aunque todo el mundo cree que soy alemán. ¿Vos te diste cuenta?

—Claro. ¿Te da miedo ser judío?

—No. Es que me acostumbré a pasar por alemán. Es más cómodo. Venía explicándoselo a Bruno cuando te encontramos. Pero sí, siempre me pareció que es muy jodido ser judío. Es como que no somos presentables. Moisés nos tuvo dando vueltas por el desierto durante cuarenta años porque le daba vergüenza entrar en una ciudad con nosotros… Eso decía un chiste viejo, de aquellos de ¿vos sabés por qué? Un chiste judío. O antisemita. Las dos cosas se confunden justamente en el humor… Pero si no decís que sos judío, nadie se da cuenta, somos como todo el mundo. Y es que somos de verdad como todo el mundo. Adoramos el becerro, como cualquier otro pueblo. Y hay maricones judíos, y cafishos y putas. Y ladrones y fascistas. Hasta monstruos, mirá. Ahí tenés a Frankenstein. Nadie habla de eso, para no ofender, me imagino, pero con ese nombre, seguro que es judío. Si el cirujano que lo hizo hasta lo debe de haber circuncidado. Hay de todo entre nosotros. ¡Menos mal! Porque, si no, seríamos diferentes, y diferente tiene que ser mejor o peor, superior o inferior. Y cualquiera de esas cosas es una desgracia, les daría la razón a los antisemitas.

—No —aseguró Marina.

—¿No?

—No. No se es igual por no ser diferente. La igualdad es lo que permite ser diferente. Pero no quiero discutir estas cosas. Hay gente que las estudia, hay libros, andá y leé.

Se levantó y fue hacia la casa. La mujer estaba sentada en el escalón de la entrada. La vio acercarse y señaló con el pulgar hacia su espalda.

—Atrás —dijo.

Marina siguió su camino en busca de un baño.

Detrás de la casa, Marina vio al hombre que los había atendido: se alejaba en una bicicleta bastante maltrecha. Tomó un sendero por entre las altas hierbas del que no se distinguía sino la entrada: sólo se podía saber de su existencia por la seguridad y la rapidez con que se desplazaba la cabeza del ciclista. Marina siguió su recorrido durante unos segundos.

14
La voluntad

Era una de esas almas excepcionales que no distinguen
entre lo que es y lo que debe ser, y consideran el deseo
ético como realidad.

MILAN KUNDERA, *La vida está en otra parte*

Ya está, pensó Lucinda Feinsilber al oír por sorpresa un fragmento de "El Moldava" de Smetana traído por la radio del despertador. Las tres. La hora de renovar el sosegón en el goteo de Evelia Vergés. Una dosis quizás excesiva, pero prefería que no regresara o, si regresaba, que no sintiera dolor alguno. Iba a morir, hoy mismo o mañana o pasado, y ella había decidido que lo hiciera sin sufrir, sin conciencia de que había entrado en el viaje sin remedio.

Cuando Evelia se presentó en su consultorio, ya era tarde, ya se estaba muriendo. No se la podía mandar a hacer un tratamiento en serio en alguna ciudad cercana, quimioterapia o radiaciones o cirugía. La mujer se estaba ahogando y, cuando Lucinda le hizo la radiografía, una de las últimas, porque el aparato seguía allí pero no había manera de conseguir más placas, vio que el tumor se había hecho irrespirablemente grande. Tampoco podía comer y pesaba veinticinco kilos menos que tres meses atrás. Lucinda no le preguntó por qué no había ido antes a verla: conocía sus razones, los hijos, la desaparición del marido, tal vez en un Buenos Aires inhóspito en el que no habría podido encontrar trabajo, la cosecha como única esperanza de aguantar un tiempo más. Los hijos sólo habían ido a verla una vez en el largo tiempo que llevaba allí, tendida en la habitación de al lado, de la que Lucinda había tenido que desplazar la consulta: ahora la gente esperaba afuera, bajo el sol o la lluvia. Felizmente, el invierno era una leyenda en aquella parte del mundo, de modo que las esperas ocasionaban pocos trastornos: es más fácil enfrentarse a una insolación que a una neumonía. La gente que acudía en busca de ayuda no tenía neumonías: las más veces, tuberculosis; o pulmones degradados o casi ausentes, como en el caso de Evelia.

Lucinda abrió la ampolla, cargó una jeringa e inyectó el líquido en el suero. Después, volvió a su cuarto, cambió la hora del reloj y se metió en la cama. Le quedaba un rato de sueño pero no lo aprovechó. Se quedó mirando el techo, preguntándose qué iba a hacer cuando el sosegón se terminara, al final de las veinte ampollas restantes. Puesto que su primo Enrique iba a verla, podía haberle pedido que le llevara algunos materiales de Buenos Aires: placas radiográficas, morfina, antibióticos. No lo había hecho porque no veía el modo de llamarlo, al cabo de tantos años, únicamente para pedir. Porque lo que tuviera que hablar con él, lo hablaría cuando llegara, si llegaba algún día. Si no, iría en el jeep a la ciudad más próxima y conseguiría al menos una parte de lo que le hacía falta: aunque con retraso, los sueldos le seguían llegando y ella sólo gastaba en tabaco, de modo que algo de plata tenía. Ahora valía mucho menos, lo había sabido por la radio, pero seguía valiendo algo. Cuando estaba a medio camino del sueño, el despertador la interrumpió: esta vez era Beethoven, apenas un final, y al momento se oyó la voz de un locutor que hablaba en portugués. Por las mañanas, siempre ponía una radio brasileña que pasaba música clásica. Se sentó en la cama y cambió de emisora. Una voz argentina comentaba noticias. Los presidentes iban cambiando uno tras otro, ya no sabía cuántos en cuántos días. Lo que significaba que no había gobierno y que lo más probable era que pronto dejara de cobrar.

Claro que no hacía por eso lo que estaba haciendo. Por dinero, hubiese podido hacer otras cosas. Cirugía plástica, por ejemplo. Se miró al espejo y sonrió pensando que le vendría bien una pasada por el quirófano: demasiadas arrugas y mucha falta de cosméticos. Se metió en el baño para la ducha fría de las cinco. A las seis prepararía la olla de mate cocido para los chicos, que irían a las siete para dejarse alfabetizar a cambio de una taza de leche con azúcar y un pedazo de pan duro. Cuatro o cinco, según los días. Una hora de clase, después había que irse a trabajar.

Cuando salió, envuelta en una toalla, vio a un hombre sentado junto a la cama de Evelia. Muy cansado, pensó. Con barba de días y la ropa tan agobiada como él. El hombre no levantó la cabeza, no percibió su presencia. Fue a ponerse los vaqueros y la camiseta para hacer una entrada más digna.

—Buen día —dijo.

—Buen día —respondió el hombre—. Soy el marido —aclaró, señalando a la mujer inmóvil.

—Sí, me imaginé. ¿Volvió de la capital?

—Sí. No encontré nada. Y ahora esto… Se va a morir, ¿no?

—Muy pronto.

—Mejor me la llevo, ¿no?

—No hace falta. Y no sería bueno moverla. Quédese todo el tiempo que quiera. Y avise a sus hijos.

—No están. Me parece que se fueron.

—¿Del todo?

—Sí, me parece. Un vecino me dijo que ella estaba acá, y que de ellos no sabía nada.

Más tarde, mientras echaba yerba en la leche y la revolvía, a Lucinda se le fue una lágrima mejilla abajo. Lo primero que se lleva la miseria es el corazón, se dijo.

15
Familias

El ser social determina la conciencia.

K ARL M ARX, *Contribución a la crítica*
de la economía política

Después de la clase, la visita. Una sola. Al viejo, el suizo. El
único que le pagaba algo. Lucinda hubiese preferido que se
gastara esos pesos en una mujer que fuera a limpiar un poco
su casa de cuando en cuando. Olía a nido de hiena, si es que
las hienas tienen nido y alguien sabe cómo huele. Olía a viejo
con escaso control de esfínteres, menos baño y muchos años
de verano acumulados. Al principio, ella había sentido ganas
de vomitar cada vez que entraba en la vivienda, pero se había
acostumbrado a soportarlo.

–¿No se olvida nunca de venir? –saludó el viejo en alemán.

–Nunca –contestó ella en la misma lengua–. ¿Cómo me
voy a olvidar de usted? Herr Lustiger es inolvidable.

–¿Y me va a joder otra vez con la inyección? –continuó
él, pasando al español.

–Otra vez.

Lucinda empezó a sacar cosas del maletín.

—Siéntese, le voy a tomar la presión.

El viejo obedeció. No necesitaba remangarse, no llevaba puesto más que el pantalón.

—¿Sabe qué, doctora? Yo no me pienso morir.

—Me parece bien, menos trabajo para mí. Y dígame, ¿por qué no se hace un viaje a Suiza? Usted tiene una pensión y la verdad es que no gasta mucho, así que ahorros debe de tener, ¿no? Estaría mejor que acá. Y siempre podría volver.

—No tengo nada que hacer en Europa. Ese continente se acabó hace mucho para mí. No tuve hijos, enviudé joven, nadie me espera.

—Acá tampoco lo espera nadie.

—Pero estoy, conozco a la gente, la gente me conoce… No me adoran, pero al menos no me odian, con eso me conformo.

—En Europa tampoco deben de odiarlo mucho.

—Pero yo los odio a ellos. Los de acá me son indiferentes.

—Tiene la presión muy alta.

—No me importa.

—A mí, sí. Si estuviera segura de que se va a morir, no me preocuparía. Pero si se queda paralítico e idiota, yo no lo voy a cuidar. Le haría bien darse un baño…

Le puso la inyección, un líquido que debía reparar los desastres de la vejez pero que sólo servía para que Lustiger resistiera mejor la bebida. Así se moría de alcohol antes de que lo sorprendiera un ataque.

—Vengo pasado mañana. Báñese.

Fue la despedida.

Lucinda recorrió las dos cuadras que la separaban de su casa mirando al suelo. Se había caído hacía un tiempo y le inspiraban poca confianza las veredas del pueblo, que nadie reparaba jamás. Vacilaciones de la edad. Además, ¿quién me va a vender el tobillo como es debido si me lo tuerzo?

Tampoco cuidaba el jardín, que ya no era más que un cuadrado de tierra llena de malezas y basura vegetal y mierda de perros. Lo único que lo humanizaba era el árbol grande, eternamente verde, que lo cubría en parte.

No entró, se dejó caer en la reposera de lona, debajo del árbol, y miró el ramaje mientras fumaba.

Aquél era un pueblo sin terminar, una especie de improvisación, un puesto de avanzada en la fracasada conquista de la selva que se había iniciado un siglo atrás y que pervivía, no como prueba de resistencia, sino de mera inercia. Nadie abandonaba porque no se le ocurría adónde ir. Pero ahora sí, empezaban a irse. Como los hijos de Evelia, sin dolor, a lugares imaginarios de los que no se regresaba. Dentro de poco no quedarían más que viejos solitarios, restos humanos.

Recogió del suelo el cuaderno de tapas amarillas con el número 23 escrito bien grande y con el trazo grueso de uno de esos marcadores que ya se habían acabado. Veintitrés cuadernos en siete años, 2.300 páginas en… Multiplicó con dificultad siete por 365: más de 2.500 días, menos de una página por día. Al principio se extendía, cada jornada le ocupaba varias páginas y creía seriamente que ese diario acabaría por convertirse en un documento, así que escribía con la vista puesta en la posteridad, sin desdeñar cierta retórica e incluyendo sesudos análisis sociales y políticos: también creía seriamente en una clara aurora revolucionaria porque nunca antes había vivido entre pobres y tenía olvidado que las revoluciones eran demasiado caras y requerían saberes que no estaban al alcance de cualquiera.

Ahora sólo apuntaba los sucesos más importantes, y en forma muy escueta: "Lustiger, cada vez peor. Evelia resiste. Sus hijos se borraron sin despedirse. Creo que lo primero que arrasa la miseria es el corazón. Uno deja de sentir". Eso fue lo que anotó ese día.

Apareció Jaime Rosen en la entrada del jardín.

—Buenas y santas —recitó.

—¿Por qué insiste en saludarme a la cristiana, don Jaime? Usted y yo somos los únicos judíos del pueblo.

—¿Y qué querés que te diga? ¿Shalom? Saludo como un argentino, no como un cristiano. ¿Estás de mal humor?

—Sí.

—Me parecía. Razones no te faltan. A mí tampoco, pero lo llevo mejor. Vos, es que estás mal acostumbrada. Yo las pasé de todos los colores. Y las sigo pasando.

—A mí no me preocupa pasarlas mal. Son los demás lo que me jode.

—Los demás siempre joden. Por pobres o por ricos.

—¿Usted cree, don Jaime, que la plata lo cambia a uno? Por adentro, quiero decir.

—¿Que si cambia? Tan grande y tan sonsa. La guita no es el alma, pero se parece mucho y a veces la reemplaza. La gente se desalma por poco o por mucho. Si no tiene, se desalma para no sufrir, y si tiene, se desalma por el miedo a dar. ¿Vos no eras marxista? Lo que decía ese judío alemán es justo eso, que la cantidad de guita que uno tenga es lo que le hace el alma. Bueno, no lo decía exactamente así, pero ese era el nudo de la cosa. Y la Torá va por ese mismo camino, como el judío Jesús, que dice eso de los pobres de espíritu y el reino de los cielos. No se refiere a los tarados, sino a los ingenuos, los limpios, los que nada que ver con la guita.

—Como usted, como yo, como su amigo el cura Valdés…

—Eso. Como nosotros. Y, ya que lo mencionás, dentro de tres días es Navidad y Valdés viene a cenar a casa. Cuento con vos, como siempre.

—Claro. ¿Qué va a preparar?

—Un chivito, que el pobre hombre viene también en Pesaj y ya tiene un exceso de pescado.

—Nunca va a dejar de sorprenderme lo bien que se llevan ustedes, uno tan judío y el otro tan católico.

—Por eso nos llevamos bien. Nos lo perdonamos todo, él porque cree que puede, porque Dios lo autoriza, porque habla a través de él como si fuera la zarza ardiente; y yo porque creo en el perdón humano y dejo para más tarde los negocios con Yahvé. En fin…, nuestras normas son muy parecidas. Y muy parecidas a las tuyas también, que si no, qué ibas a estar haciendo acá.

—Es verdad, estaría en Buenos Aires, o en París o Nueva York. Enfermos hay en todas partes, ¿no?

—Sí… Antes que me olvide, quería decirte otra cosa: está a punto de llegar mi hijo de Brasil. Federico, vos lo conocés. Se le ocurrió pasar el fin de año conmigo, pero a lo mejor llega antes y somos más en la cena.

—Hace bien en decírmelo, porque yo también espero familia, aunque no tan directa. Un primo mío al que no veo desde hace años.

—¿Te pone contenta que venga?

—Mucho. Es mi primo más querido. Y el único pariente que me queda… Bueno, vive un tío, pero como si no existiera. Creo que lo vi dos veces, en los velorios de mis padres. Es tío por parte de padre, un Feinsilber, pero da lo mismo, nunca nos interesamos. Nosotros somos la rama culta de la familia. Mi padre pensaba que era mejor ser médico que ser bolichero, mejor tocar el piano que silbar, mejor leer que hablar de fútbol. El tío Simón pensaba todo lo contrario, nunca estudió nada y es más rico que el marajá de Kapurtala.

—Mirá que sos antigua, nena. Menos mal que hablás conmigo, porque no creo que haya nadie más que se acuerde de quién era el marajá de Kapurtala. ¿Fuiste novia de tu primo?

—¿Cómo lo sabe?

—La vida es así. De jovencitos, nos enamoramos de quienes están cerca y se nos parecen. Después, el corazón se abre y viaja, y amamos a seres lejanos y distintos. Y a veces, no siempre, como dice el tango, volvemos al primer amor. ¿Te emociona volver a verlo?

—No le quiero mentir, don Jaime, me emociona muchísimo. Durante mucho tiempo creí que estaba muerto, desaparecido. Y hace poco me llamó por teléfono. Casi me muero yo.

—Está bien. Entonces vamos a ser unos cuantos, si no en nochebuena, en año nuevo.

16
Imágenes sin sonido

Cosas incomprensibles, que estaban ahí, que había que aceptarlas, que no había que preguntar.

ISIDORO BLAISTEIN, "El remate"

Federico Rosen y Elías Traúm cruzaron la frontera brasileña al anochecer del día veintidós. Traúm no iba a Yacaré Viejo sino a Resistencia, pero iba a dejar al amigo en el pueblo de su padre y recogerlo después, al cabo de unos días, ya en el año siguiente, el 2002.

Decidieron parar en el primer lugar en el que les dieran algo de cenar y cama por una noche. Lo encontraron pronto. Comieron unas empanadas muy picantes y las acompañaron con vino, antes de subir a una pieza con dos camas tan breves como destartaladas y sin cucarachas a la vista.

En el televisor del bar se veían imágenes sin sonido de gente reunida a las puertas de los bancos, aporreando las persianas sin obtener respuesta y gritando como desaforados cosas inaudibles. No importaba que no hubiera una voz que explicara lo que sucedía, no había nadie que lo ignorara. La escena cambió de pronto y se vieron largas y desordenadas filas avanzando por las carreteras, a pie, en busca de algo que sólo se comprendía a medias gracias al cartel que uno alzaba ante la cámara: "Que se vayan todos".

—Y pensar que yo no tendría que estar aquí, que me había despedido de este país… —consideró Traúm

—No tenías por qué haber venido conmigo. Yo me las arreglaba solo.

—No vine por vos. Voy a ver a una persona en el Chaco. Fue pura coincidencia lo de este viaje.

—¿Una persona como la que voy a ver yo?

—Vos, oficialmente, vas a ver a tu padre. Y de lo que yo haga, cuanto menos sepas, mejor.

—Tenés razón, siempre pregunto demasiado.

Federico se quedó con las ganas de averiguar si, tras su regreso a San Pablo, Traúm se iría definitivamente a Israel. A él le hubiese gustado que se quedara, era un segundo padre, un sustituto eficaz de don Jaime, que había elegido acabar su vida en ese pueblo perdido.

—¿Pensarán que están haciendo una revolución? —se preguntó Traúm en voz alta.

—¿Y por qué no?

—Porque no se puede hacer una revolución oponiéndose. Estos boludos se oponen a los que hay, pero no son capaces de reemplazarlos. ¿Te imaginás a ese flaco de la barba, el que va descalzo, de ministro de algo? Sabrá quemar neumáticos, o lo aprenderá hoy, pero no va a ir más allá de eso.

—¿Y entonces?

—Se irán todos por cinco minutos y después volverán. Mintiendo lo que se les ocurra, más o menos al hilo de lo que piden estos desarrapados, y haciendo lo que hicieron toda la vida. Al final, los que protestan, los miserables, los que mandan cuando manda alguien, los ricos, los almaceneros y los muebleros y los floristas, son todos peronistas. El fantasma los une, así que no van a salir nunca de su círculo de influencia.

—Dentro de cien años.

—Ni siquiera. Fijate que pasaron ciento cincuenta desde Rosas y los peronistas y unos cuantos, pocos, que no son peronistas porque eligieron otra forma de fascismo, siguen siendo rosistas. Es el mismo partido, la misma jerarquía. Hiciste bien yéndote a Brasil.

—Los brasileños son iguales.

—Pero no son tus paisanos. Todos los pueblos son iguales. Incluido el pueblo judío, en Israel o fuera de él. Los argentinos y los italianos tienen menos pudor, se muestran como son sin sentir vergüenza.

—Sin miedo a las contradicciones.

—Eso.

En el televisor se desarrollaban escenas de un partido de fútbol. Los hinchas saltaban en la tribuna, agitando banderas. En los primeros planos se podía constatar su asombroso parecido con los tipos que caminaban por las carreteras, probablemente hacia Buenos Aires, y con los que berreaban delante de las oficinas bancarias cerradas. Todos ellos se desahogaban, cada uno a su modo. Si les preguntaban, aducirían una causa. Pero únicamente se desahogaban, procuraban ignorar la falta de sentido de su vida para continuar en ella hasta el final marcado por la biología, los accidentes, las balas perdidas, las puñaladas sorpresivas o por cualquier otra cosa que no fuese la existencia misma, el hartazgo de la existencia sin salidas, la simple supervivencia amenazada en un universo hostil. Se

desahogaban para no suicidarse. Aunque no resultara incon-
cebible que toda esa agitación fuese una forma de suicidio.

Federico y Traúm subieron a la habitación. El más joven
se quedó dormido tan pronto como se dejó caer en la cama.
El otro se sentó junto a la ventana, sin camisa, a fumar. Se
acostó cuando faltaba poco para el amanecer.

17
Llegada

Hace ya quince días que estoy en movimiento de la mañana a la noche; busco lo que todavía no he visto.

GOETHE, *Viaje a Italia*

Kramer, Bruno y Marina llegaron a Yacaré Viejo pasado el mediodía del veintitrés. Al principio, en el campo, junto al camino, aparecieron casas a medio construir, habitadas, cuyo fondo daba a los árboles, a lo inexplorado y a las pesadillas. Después, casas un poco más acabadas y menos separadas. Después, jardines, en su mayoría abandonados, con casas que ya esbozaban una calle. Al final, el pueblo, casas juntas, unas cuantas con frente de ladrillo y ventanas con reja y celosía. Y calles transversales de destino secreto.

Vieron un bar y preguntaron si había hotel.

—No —dijo el del bar—. Pero la señora de acá al lado alquila piezas. ¿Cuántos son?

—Tres. Necesitamos dos piezas. Una para la señorita —explicó Kramer.

—Voy a ver. ¿Toman algo?

—Cerveza.

—No llegó esta semana. Tengo vino blanco bien frío. Y soda, también fría…

—Vino, entonces.

Media hora más tarde, Bruno y Marina dormían. Kramer preguntó por la casa de Lucinda y le dijeron dónde estaba.

Fue caminando por el centro de la calzada, sorteando grietas y agujeros en el asfalto, observando los yuyos que crecían a los lados, junto a las veredas, pensando que si se les daba tiempo, acabarían por derrumbar las casas. No parecían importantes, ni poderosos, y mucho menos capaces de acometer hazañas como una demolición; y sin embargo, poseían la fuerza de la debilidad acumulada, como algunas personas. La mayoría de las personas. Él mismo.

18
La escena del balcón interrumpida

… y escuchar con asombro, con miedo, con nostalgia, la
música amontonada del mundo.

RAÚL GONZÁLEZ TUÑÓN, *Todos bailan*

Lucinda acababa de poner en orden sus diarios, del primero
al último. Si esa mañana había sido lacónica, a partir de ahora
entraría en el más completo silencio. Metió la pila de cuadernos en una caja de cartón, que en su origen había servido para
transportar medicamentos, y la puso en un espacio que quedaba entre el ropero y la pared. Aprovechó para mirarse en la
enorme luna del mueble y pasarse la mano por el pelo. En ese
momento llegó Kramer. Se anunció como se hace en algunos
pueblos, con un par de palmadas, porque no había timbre ni
llamador. La puerta estaba abierta, pero prefirió esperar.

Cuando ella salió, se miraron largo, se rodearon como
en una danza, se olieron de lejos por miedo a acercarse, se
tendieron las manos sin que ninguno de ellos se decidiera a
tocar realmente al recién descubierto, Kramer sonrió con timidez, Lucinda sonrió sin timidez y su rostro se llenó de sol,
se tomaron las manos levemente, las puntas de los dedos en
las puntas de los dedos, los dedos en los dedos, los dedos ce-

rrados sobre los dedos, y así giraron, entrando y saliendo de la sombra de la casa y de la luz húmeda y ardiente. A la sombra de la casa se abrazaron, sin besarse, la cara de cada uno en el hueco del cuello del otro, y se quedaron abrazados durante un tiempo que ninguno de los dos hubiese sabido medir. Salidos del abrazo pero sin separarse del todo, entraron.

Volvieron a mirarse en la penumbra de la cocina, con menos curiosidad, con más ternura. Kramer se sentó. Lucinda se quedó de pie, apoyada en el fogón.

—Patético, ¿no? —arriesgó ella.

—No. Estás linda. Siempre estuviste linda. Siempre fuiste linda. Y hay cosas que no se pierden con los años. Yo sí que estoy viejo.

—No, vos también fuiste lindo siempre, y seguís siendo lindo. Además, me dijiste que habías dormido un montón, y eso siempre lo conserva a uno…

—Dormí mucho, pero dormí mal. Dopado. Y no fueron dieciocho años, sino tres. Pero de eso no quiero hablar ahora. Contame vos, por qué te viniste a trabajar acá, qué fue de tu vida, si tenés hijos, esas cosas. Yo no tengo, y lo lamento.

—Yo tampoco, y también lo lamento. Me casé, me divorcié, estaba cansada de la gente, de mis compañeros, hasta de mi cuerpo. Pasados los cincuenta años, me quedaban dos posibilidades: buscar un hombre, como hacen casi todas, consciente de que en general lo único que hay en el mercado es de saldo, o no buscar a nadie y servir a quien lo necesitara.

—A los pobres.

—No creas. Hay pobres y muy pobres, pero la gente de por acá es más atrasada, más ignorante que pobre. Necesitaban un médico y nadie quería venir. Yo vine. Me pagan un sueldo oficial que me sobra.

—Ahora a lo mejor no.

—Es igual. No es por eso que lo hago.

—Me imagino. Nunca hicimos nada por dinero. ¿Con quién te casaste? ¿Con alguien que yo conociera?

—No. Hace veinte años, fui a Londres a hacer un curso de farmacología y conocí a un inglés. Me casé con él. Duró exactamente veinte meses. Volví a Buenos Aires.

—¿Incompatibilidad?

—Por decirlo con elegancia. No fue un matrimonio, fue una pelea larga. ¿Vos seguiste con Mariana?

—Sí.

—¿Y con el alcohol?

—También. Al final, salí de las dos cosas. Ahora puedo tomar un vaso de vino sin volverme loco y sin pedir ocho ginebras para completarlo. Pero salí sin heroísmos ni fuerza de voluntad. Me desperté sin una gota de alcohol en el cuerpo y sabiendo que quien me había mandado a dormir era Mariana.

—¿Y por qué no te fuiste? A otro país, me refiero.

—Ya es tarde, no sirvo para empezar. ¿Y vos?

—Me bastó con la experiencia británica.

—¿Lo llamás así? ¿La experiencia británica?

—Sí. Pero no te ofrecí nada… ¿Querés un mate?

—Hace mil años que no lo pruebo, pero dale, sí, mate.

Lucinda le dio la espalda para poner agua a calentar y llenar el mate de yerba. Kramer observó su cuerpo, siempre delgado, sin deformaciones ni excesos, como el de un adolescente. La recordó desnuda y pensó que no había cambiado.

—A vos te gustaba dulce… —evocó ella, volviendo la cabeza.

—A vos también. Aproveché este rato para mirarte de atrás.

—¿Y?

—Lindo culo. Como siempre.

—¿Lindo? Flaco y triste.

—¿Y qué querías? ¿Tener tres culos? Hay minas que se gastan millones en cirugía para tenerlo como vos.

Lucinda cebó el primer mate y se lo tomó. Le pasó el segundo al primo Enrique.

—Primo Enrique —dijo.

—Prima Lucinda…

—Esperá… —propuso ella, saliendo de la cocina.

Un minuto más tarde, empezó a sonar en la casa "Yesterday" y ella volvió.

—Esa canción… —apuntó él.

—No es sólo esa canción, es ese disco, el mismo pedazo redondo de plástico negro con la misma etiqueta, el que escuchábamos en la casa de la calle Arcos. Lo conservé.

—¡Qué grande! —casi gritó Kramer, poniéndose de pie—. ¿Cómo? ¿Cómo hiciste? Yo nunca supe guardar nada…

Se abrazaban y seguían el compás de la música, sin bailar realmente, sin moverse del sitio, cuando oyeron una voz de mujer en el jardín.

—¡Doctora! ¡Doctora! —chillaba.

Lucinda se precipitó hacia la puerta, abandonando al primo Enrique.

—¿Qué pasa, Rufina?

—¡Hay un muerto en el río, doctora! —profirió, sin aliento.

—Vamos a verlo. ¿Sabés quién es?

—Yo no lo vi.

Kramer estaba detrás de Lucinda.

Fueron en el jeep de ella. El río estaba a poco más de un kilómetro. La mujer, Rufina, había ido a pie.

La corriente estaba baja y había una gran superficie de arena. El cuerpo yacía boca abajo. Había un muchacho sentado junto a él, fumando. Se levantó al ver a Lucinda y fue hacia ella.

—Es el suizo, doctora —anunció.

—¿Lustiger?

—Sí, ese. Se cayó, o lo tiraron, no sé, muy cerca. Se quedó enganchado en aquel árbol —señaló un tronco vencido sobre el río y el ramaje que filtraba el agua y retenía porquerías diversas, latas, bolsas de plástico, una almohada: era fuerte, podía retener un cadáver—. Yo lo saqué.

Lucinda se acercó y miró al hombre sin tocarlo. Esa misma mañana le había dado su inyección. Estaba mal, pero no para morirse.

—¿Alguien llamó a la policía?

—No. ¿Hace falta? ¿Y si lo enterramos y listo?

—Hace falta. Pero tienen que venir desde Campo Largo y van a tardar. No lo podemos dejar acá. Yo no puedo hacerle una autopsia, se lo tendrán que llevar.

Kramer dio unas cuantas vueltas alrededor del muerto, se agachó, le cerró los párpados y le abrió la boca.

—Lo mataron —dijo al final, tomándolo por los hombros y dándolo vuelta—. Una sola puñalada. —Señaló el pecho—. Justo en el corazón. La sangre se la llevó el agua.

Don Jaime y su hijo, Federico Rosen, habían llegado un momento antes y observaban a Kramer. Los acompañaba el padre Valdés.

Todos se saludaron como si no pasara nada. Rosen presentó a su hijo y Lucinda, a Kramer.

—Yo llamé a la policía —dijo el cura—. Les voy a avisar que es asesinato para que traigan un furgón.

—Tengo una camilla con ruedas para trasladarlo —anunció Lucinda—. Me parece que lo mejor es llevarlo a su casa.

Cuando Lucinda regresó con la camilla plegada en la caja del jeep, el muchacho que había encontrado a Lustiger y Federico Rosen lo subieron en ella y lo empujaron hacia su casa, que estaba muy cerca. Ahí lo depositaron sobre la cama. Alguien piadoso había puesto una sábana limpia.

19
Cartas de amor

Pero ¿se permitirá a todo ciudadano que no crea más que a
su razón, y que piense lo que esa razón ilustrada o engaña-
da le dicte?

VOLTAIRE, *Tratado de la tolerancia*

Lucinda se fue a ver a un paciente. Kramer se quedó remolo-
neando en la casa de Lustiger, esperando quedarse solo. Primero estuvo un rato sentado junto a la cama, observando la
cara del muerto. Pasó alguna gente del pueblo a dejar flores.
Algunos se persignaron y se fueron, otros lo saludaron con
un gesto. Después se levantó y empezó a hacer las cosas que
deseaba hacer, con la soltura de un heredero, sin preocuparse
por la posibilidad de que alguien lo viera.

Fue a la cocina y abrió los armarios: ginebra, salchichas
alemanas en un frasco, con aspecto de museo de patología,
reserva de cigarrillos negros para un par de meses: se metió
un paquete en el bolsillo y abrió otro; fumó aunque el tabaco
estaba reseco y tenía gusto a paja. Pilas de diarios en castellano
y en alemán, varios con la faja del envío postal.

En la habitación de la entrada, mesa y cuatro sillas de me-
tal y plástico, y una estantería breve, cuatro tablones, con libros
en alemán. Un ejemplar de *Mein Kampf*, de los que el Estado
regalaba a las parejas cuando se casaban, con los datos de los

novios en la primera página: Wilhelm Heisenberg, nacido en Munich en 1914, y Gerta Mueller, nacida en la misma ciudad en 1916. Al menos, ya sabía el nombre del finado.

Cuando regresó al dormitorio, salía una mujer vieja, indígena, con la cabeza gacha. Se acercó al cadáver. Alguien le había escupido en la cara. No lo limpió. Fue al ropero y lo abrió. Encontró ropa, cuatro o cinco vestidos de mujer, ningún uniforme. Zapatos viejos, sucios, apilados, alguno probablemente impar. El hombre había perdido la disciplina, una disciplina que en otra época debía de haber sido su razón de ser, su fundamento filosófico. Dos corbatas arrugadas colgadas de un hilo sujeto al interior de la puerta por dos clavitos oxidados. Lo poco que de interesante pudiera haber, estaba en el estante superior: una caja de sombreros, un paquete de cartas viejas enviadas a Heisenberg a una dirección de Berlín 1943. En la sombrerera, una gorra de las ss y una foto. Kramer le probó la gorra al cadáver: le quedaba chica, no había sido suya. Era curioso que un hombre que huía para salvarse hubiera corrido riesgos por un montón de cartas y una foto. La gorra, puro objeto de nostalgia, podía haberla comprado en cualquier tienda de cosas viejas de Buenos Aires.

En la fotografía se lo veía a él, Heisenberg, con su gorra auténtica, igual a la que Kramer tenía en la mano, acompañado por una mujer joven, con grandes tetas y más gorda de lo que merecía a su edad, sobre un decorado de estudio. Gerta, seguramente, opulenta y racialmente perfecta. Al dorso, una fecha: 1942.

Una historia de amor que habría durado lo que la guerra, tal vez algo más, el tiempo de la fuga y la llegada a la Argentina. Hasta el 50, le dijo el certificado de defunción argentino de

Gerta Lustiger, doblado y metido en el montón de las cartas. Kramer lo puso todo en la sombrerera y se lo llevó.

20
El ejecutado

Tal vez sea mejor que hagan conmigo lo que está dispuesto, porque es más que probable que si no lo hicieran volviera a las andadas.

CAMILO JOSÉ CELA, *La muerte de Pascual Duarte*

Bruno y Marina estaban en el bar. Habían dormido bien.

—¡Lo que se perdieron! —anunció Kramer después de pedir café, poniendo la sombrerera sobre la mesa.

—Lo sé todo —declaró Marina.

—¡Con vos no se pueden dar noticias, siempre tenés leído el diario de mañana!

—No te enojes, Kramer —pidió ella—. Yo vine hasta acá por ese tipo.

—¿Para hacer vos lo que ya hizo otro?

—Sí. Me ganaron de mano.

—¿Y no lo sabías?

—Lo supe cuando ocurrió. Ni un segundo antes.

—¿Y sabés quién fue?

—Sí, le vi la cara. Pero no pienso decírselo a nadie. No fue un asesinato, sino una ejecución. Aunque el tipo no lo haya hecho por las mismas razones por las que lo hubiera hecho yo.

—¿No? ¿Y entonces por qué lo mató?

—Porque lo odiaba, pero era un odio que el finado se había ganado acá, no en Alemania. Heisenberg vino con Bormann y durante un tiempo colaboró con Ante Palevic en la organización de la Sección Especial. El comisario Lombilla no necesitaba mucha ayuda, había nacido con el talento necesario para su trabajo, pero de todos modos Heisenberg le dio unas cuantas lecciones de tortura. El que lo mató es un tipo con bastantes años encima, así que debe de venir de aquella época. Sería estudiante, o delegado sindical antiperonista, o comunista, o socialista, cualquier cosa de esas que en el año cincuenta parecían temibles.

—¿Vos tenías algo personal?

—La familia de mi abuela. Bueno, la parte que murió en Ravensbrück, donde ejerció Heisenberg en la primera etapa.

—¿Y de los que desaparecieron a tu papá? Porque vos sabés quiénes fueron…

—Sí. Fueron cayendo. De los cuatro de la banda que se lo llevó, uno murió, a otro lo mataron y otro está preso por homicidio y tiene para rato.

—¿Y el cuarto?

—El jefe. Vive en Madrid.

—¿Vas a ir?

—Muy pronto.

—Tenemos un amigo en España —apuntó Bruno—. Muy amigo.

—Lo sé —contestó Marina—. Los dos piensan en él a menudo.

—Yo estoy acá gracias a él —reconoció Kramer.

—Te sacó de donde te tenían encerrado, un manicomio o algo así.

—¿También eso viste?

—Sí, pero no con mucha claridad. Le conozco la cara a tu amigo, pero no sé cómo se llama. Lo mismo me pasó con Heisenberg, por eso tardé tanto en encontrarlo. Sólo veo.

—Se llama Juan Romeu.

—El día menos pensado te pido el número de teléfono. ¿Qué vas a hacer con lo que tenés en la caja de sombreros?

—¿Qué es? —preguntó Bruno.

—Un paquete de cartas, una fotografía, un documento, un ejemplar de *Mein Kampf* y una gorra de SS —detalló Marina—. Todo de Heisenberg.

—Lo voy a guardar. O a quemar, todavía no estoy seguro. Lo saqué de la casa para que no se lo llevara la policía. Cuanto menos sepa la cana, mejor.

—Así protegés al que lo hizo.

Kramer se encogió de hombros.

—Podías haber sido vos. Fue un acto de justicia. Todo bien.

21
Los nietos

—¿Vos sabías quién era ese tipo? —quiso confirmar Federico Rosen, sentado en la sala de la casa de su padre.

—Yo no, pero vos sí —respondió el viejo, encendiendo un cigarrillo—. Te vi la cara allá, junto al río, y te conozco como si te hubiera engendrado. Me pareció que te disgustaba que lo hubieran matado. No sé si porque no lo hiciste vos o porque preferías que estuviera vivo.

—Las dos cosas. Iba a llevármelo.

—¿A Israel?

—A Brasil. De ahí lo mandaban a Israel, con la extradición acordada y todo. Esas cosas se arreglan antes.

—Es decir que era de los malos de verdad. De que era alemán y no suizo, me di cuenta en seguida. Hace años. Y por lo tanto, me imaginé que era un nazi, pero no que era tan importante como para que todavía lo estuvieran buscando. Si querés que te diga la verdad, no pensaba que buscaran a nadie, que tendrían bastante trabajo con los árabes. Estos

deben de ser todos muy viejos. Bormann tendría cien años...
¿Querés café?

—Sí, quiero, con leche.

—Bueno, lo caliento. Vos seguí contándome.

—Se llamaba Heisenberg y había sido colaborador directo
de Bormann. Tenía 86 años, pero daba para juzgarlo. Además,
estos tipos se cuidaban mucho, hacían gimnasia, dieta sana,
nada de alcohol, de sexo lo justo... Fortísimos. Mirá Junger.

—Sí, ya sé. Lo que no sé es cómo te metiste en esto. Ni
siquiera pudiste vivir en Israel...

—No, no pude. Israel es demasiado para mí, toda la vida
en el ejército, locos de cualquier religión exaltados por el clima
y el territorio. Lo del terrorismo me da igual, te puede aga-
rrar en cualquier parte, pero lo demás... Lo que no significa
que no ayude, porque en alguna parte tenemos que vivir los
judíos, ¿no?

—En la Argentina, en el Brasil, como vos y como yo. Ya
sé que te jodí demasiado de pibe con este tema, pero voy a
insistir en algunos puntos porque quiero saber lo que llegaste
a pensar sobre eso con el tiempo.

—Dale, te escucho.

—Yo creo que Israel no es más que una desgracia necesaria.
En los años treinta vimos que no había sitio en el planeta para
diez millones de judíos europeos, muchas menos personas que
las que en la época emigraban cada año. Vino la catástrofe y
hubo que adaptarse y apoyar la creación del Estado. Pero eso
no fue bueno para la cultura judía, que es un producto de la
diáspora. Se acabó el yídish, se acabó el cosmopolitismo y la
gente inteligente entendió que eso no era bueno, como no era

bueno que los judíos se juntaran y se hicieran soldados y todo eso. ¿Sabés lo que dijo Einstein?

—Algo sobre la energía…

Don Jaime sirvió el café y se sentó frente a su hijo.

—Precisamente, no. Dijo que los judíos éramos la sal de la tierra, pero que a nadie le gustaba un plato lleno de sal. Pero siguió apoyando. Y siguió porque, si no seguía, si no se hacía el Estado, iba a haber otro pogrom, más brutal que el de los alemanes, los polacos, los húngaros, los austriacos, los croatas y toda esa caterva, un pogrom menos industrial que el de Hitler pero más extendido y menos disimulado. De eso se trata, de seguir vivos. Pero yo, a veces, dudo de que Israel, un país igualito a todos los demás países, con putas, ladrones, asesinos y traidores a la patria como en todos los demás países, con tipos de mierda y hambrientos y traficantes, valga tanto esfuerzo. ¿Para qué seguir vivos si vamos a ser distintos de como fuimos siempre?

—¿Y cómo fuimos siempre? ¿No había de todo en la diáspora?

—Sí, pero un de todo más rico, menos uniforme, y no teníamos ejército. En esto hay una sola cosa que me consuela y que me hace considerar la posibilidad de que no seamos ya completamente diferentes, y es que todos los ejércitos del mundo, todos, sin excepción, desde los asirios hasta los americanos, violaron a las mujeres de los pueblos que sometieron. Y nuestro ejército, no. El único, fijate, el único.

—¿Dijiste nuestro ejército, viejo?

—Sí, eso dije. Nuestro. ¿O vos te crees que porque critique y sienta pena y me dé rabia, Israel me importa menos, es menos mío que tuyo? Pienso que es un error, pero estoy dispuesto a pagar como los demás las consecuencias del error, y si critico es para que las cosas no sean tan malas… Y decime, ¿qué vas a hacer ahora?

—Nada. Pasar el día de año nuevo con vos. Aunque sea el año nuevo goy.

—Es igual, la contabilidad de los años es siempre una convención. Los que andamos por acá celebramos el final de algo y el comienzo de otro algo. En común. Vos y yo, y Lucinda, y diría que también ese primo suyo que acaba de llegar, contamos doble, y no despediremos el 5761 ahora, pero sí el 2001. De paso, te cuento que mañana habrá cena de nochebuena con mi amigo el cura y Lucinda y toda la parentela, porque parece que el primo no vino solo. Alquilaron dos piezas en la casa de al lado del bar, la que limpia la Cecilia.

—¿Vienen todos acá?

—Sí.

—Te ayudo a cocinar.

—A preparar ensaladas, porque voy a hacer chivito asado en el jardín. Iba a preparar uno, pero van a ser dos.

—¿Jardín? ¿A eso le llamás jardín? Es un basural.

—No, si lo mirás con atención. Basura no hay. Hay cosas que me cuesta tirar.

—¿Querés que lo arreglemos un poco?

—Sí, podría ser. Y la casa, los libros sobre todo. Y te elegís unos cuantos para vos.

—Me cuesta cada vez más leer en español, estoy tan acostumbrado al portugués…

—Bueno, no te llevés nada, jodete. Tampoco el teatro yídish que te iba a regalar. Comprátelo en brasileño.

—No, viejo, no me hagas eso, era sólo un comentario. Si me das el teatro yídish, te prometo enseñárselo a tus nietos.

—¿Qué nietos?

—Los que vas a tener algún día.

—Esa es una promesa inútil, porque esos pibes todavía no nacieron, y que me deja preocupado, porque yo daba por sentado que les ibas a enseñar yídish y vos no te sentís tan comprometido. ¿Seguís con esa chica?

—Rompimos hace poco.

—Eso no me sirve. Y a vos te sirve menos. Una vida sin mujer y sin hijos no es una vida, por muy bien que te portes con Israel.

—¿Y si me enamorara de una goy?

—Yo me enamoré de varias goy a lo largo de la vida.

—Yo también. No prosperaron, pero las paisanas tampoco.

—No pasa nada. Pero casate, tené hijos. Si vos no existieras, mi vida no hubiera valido nada.

—Hubiera valido igual, viejo. Vos dejaste un montón de cosas en un montón de gente, no sólo en mí. ¡Si hasta tenés amigos curas!

—Hay cristianos mejores que muchos judíos, y judíos mejores que muchos cristianos. La gente se encuentra. ¿Qué importancia tiene un mesías más o menos? ¿Querés más café?

TERCERA PARTE

La investigación

22
Preliminares

No hace falta saber a qué le tiene miedo una persona.
Basta con saber que tiene miedo.

LAWRENCE BLOCK, *Los pecados de nuestros ancestros*

Al día siguiente, a la hora de la siesta, entraron al pueblo dos policías de Campo Largo, unos sujetos con mala pinta, bigotudos, pesados y prepotentes, con más pereza que interés en averiguar nada.

–¿Es usted el padre Valdés? –interrogó el más joven.

–Sí –reconoció el cura–. ¿Vienen por la investigación?

–No, venimos por lo del muerto. Tenemos que vigilarlo hasta que llegue el comisario. Él es el que va a investigar. ¿Adónde está?

–En su casa. No podíamos dejarlo en el río, con este sol, todo lleno de bichos…

–Está bien.

–Vengan, los acompaño.

Y abrió la marcha hacia la casa del alemán.

A pesar de estar a la sombra, el cuerpo ya apestaba y se había hinchado más allá de todo cálculo. Las flores que la gente había ido dejando yacían a los pies de la cama, arrugadas y mustias, y los aromas de su derrota completaban los del finado. Las moscas no hacían más agradable el lugar.

—Ahí lo tienen —señaló el cura.

—Pero acá no nos vamos a quedar —protestó el policía más viejo.

—Es difícil —aceptó Valdés—, pero quedarse o no es cosa de ustedes. Sé que tienen un deber que cumplir, aunque yo les aseguro que nadie se va a robar el cadáver. Si hubieran querido, lo hubieran robado ayer. Afuera hace un calor espantoso. El mejor sitio del pueblo es el bar. Sombra, olor a café y a vino, pocas moscas. Yo paso ahí todo el tiempo que puedo. Además, están invitados a lo que quieran, es lo menos que podemos ofrecerles.

El sacerdote se odió por lo que le pareció una sumisión ante la autoridad excesiva para un siervo de Dios: esos dos tipos eran completamente del César. Sin embargo, no convenía tenerlos en contra. La sotana no les iba a impedir nada.

Los acompañó al bar y los dejó ahí con una botella de vino y un mazo de cartas.

A la media hora entró Kramer.

—Buenas —saludó Kramer sin dirigirse a nadie en particular, como si no hubiera visto los uniformes.

—Buenas —roncaron los policías.

Pararon de jugar.

—¿El señor es del pueblo? —preguntó el más joven, mirando a Kramer.

—No, oficial. Estoy de visita.

—¿Tiene familia acá?

—Mi prima. Vine a pasar las fiestas.

—¿Conocía al que mataron?

—No, no tuve el gusto.

—Ajá. Bueno, siga nomás.

—Gracias.

Kramer apoyó un codo en el mostrador y esperó a que saliera alguien a atenderlo. No se iba a retirar a esa altura de los acontecimientos. Pero no podía eludir una sensación que se negaba a llamar miedo. Reconoció ante sí mismo que no sabía qué carajo estaba haciendo ahí, por qué se le había ocurrido ir a ver a la prima Lucinda en vez de invitarla a Buenos Aires. Hubiera sido mejor para ella salir de aquel agujero unos días, y él no hubiera tenido que moverse, enterrar muertos ajenos, ejercer de forense improvisado y dar explicaciones a la policía. Le sobraba plata para pagarle viajes a Lucinda. Le sobraba plata para todo pero le costaba darse cuenta; la pobreza y la riqueza no dependen únicamente del dinero: son cuestiones de fe, de hábito, de decisión, y él no había decidido ser rico ni estaba acostumbrado a serlo. Por no decidir, ni siquiera había sido cosa suya el estar vivo.

Por otro lado, estaba Lucinda. El reencuentro con Lucinda, su prima, sí, pero también la primera mujer con la que había aprendido algo sobre la pasión y sobre el cuerpo, y que no lo había recibido como se recibe a un pariente, sino como se recibe a un hombre: no con el obsequio de una vieja fotografía familiar, sino con la música de fondo que, muchos años atrás, había sido la de sus tardes de amantes.

Kramer había oído hablar de los reencuentros sentimentales y sexuales, de los amores dormidos que despiertan o resucitan al cabo de los años, tal como había despertado o resucitado él mismo. Y a él le había costado reconocerse en los espejos y, por momentos, aún dudaba de su identidad, del pasado que recordaba: como si él, ahora, recién nacido, sin mácula, fuese mejor que el de la vida anterior, llena de dolores y de errores y de pecados irreparables. A lo mejor, prefirió pensar, con la resurrección amorosa pasaba algo semejante y el viejo amor resurgía limpio, sin dolor ni error ni pecado alguno, como si su pasado le fuera ajeno, desconocido. Sin embargo, no estaba seguro de desear el renacimiento de un amor que, instalado como estaba en la memoria del Kramer anterior al sueño, parecía hermoso y daba nostalgia pero cuya realidad en la primer vejez podía llegar a ser verdaderamente incómoda, más incómoda aún en la irremediable y próxima segunda vejez y realmente insoportable en la no muy lejana ancianidad, edad de indefensión que jamás será superada por el aprendizaje, apenas si por un piadoso olvido. Consideró que sólo le sería posible vivirlo si lo hacía como todo lo que había hecho en los meses anteriores: con la convicción de que cada instante era el último. Pero para eso, tenían que irse cuanto antes del pueblo, regresar a Buenos Aires, porque el paso del tiempo en un pueblo era tan intolerablemente lento que se vería obligado, no a vivir cada instante como el último, sino a pensar conscientemente, segundo a segundo, en la posibilidad de que ese fuera el definitivo, lo cual lo llevaría a la muerte real o a la locura.

Se imaginó a sí mismo en un manicomio, esperando que pasara por ahí alguien a quien pedirle un cigarrillo y negociando con putas sin dientes. ¿Sería verdad que el tiempo, la historia, discurría a velocidades distintas para cada época o para cada persona? Recordó algo que le había contado un antiguo conocido suyo, Eleazar, un hijo de inmigrante gallego que en los días de la dictadura se había exiliado en España y había ido con su hermano a visitar el pueblo del padre.

En el año 77, las catorce casas de la aldea estaban tal como el viejo las había dejado, hacía poco más de medio siglo: la planta baja, para los animales; la gente dormía en la de arriba, sobre un entarimado que soportaba los colchones de paja. El olor a bosta lo impregnaba todo, pero nadie estaba dispuesto a dejarse conmover por él: las boñigas eran riqueza, hacían la tierra. Había hombres y mujeres, de setenta, de ochenta años, que aún trabajaban el campo como entonces. Eran parientes de los visitantes, desde luego, pero no tenían nada que decirles: a su llegada, ellos habían visto cerrarse algunas ventanas. Cuando murieran, serían enterrados en el camposanto local: tres docenas de tumbas todavía identificables, a las que se agregarían unas pocas más. Ahí, a quinientos kilómetros de Madrid y en el verano del año 77.

—Papá era un héroe —había dicho Eleazar—. Imagínate, salir de aquí en el 25, siendo un adolescente, que ni siquiera alcanzaba la mayoría de edad, sin hablar castellano, porque el gallego era la lengua real del campesinado, sin leer ni escribir, ir a Vigo, ver el mar por primera vez, meterse en un barco, en la tercera, y bajar de él a doce mil kilómetros… Un héroe verdadero. Ya no hay hombres así.

—Hombres que se fugan hay siempre —le había contestado el hermano—. Nosotros entre ellos, ¿no?

—No es lo mismo un exilio que una migración.

—No, no es lo mismo. Se huye de cosas distintas.

—Papá escapó de la miseria. Nosotros, de la muerte.

—Papá dejó atrás algo más, algo peor que la miseria. Era imposible salir de ella aquí en el plazo, irremediablemente corto, de una vida humana. La historia tarda demasiado en pasar por este sitio: como ves, nada cambia de manera perceptible. Escapó a la lentitud de la historia, se fue a un sitio en el que la coincidencia entre el tiempo de la historia y el de los individuos era mayor.

—¿Y nosotros, entonces?

—Escapamos de una insoportable aceleración de la historia.

—Hacia atrás.

—No importa en qué dirección. Cuando uno emigra, huye de la lentitud. Cuando se exilia, huye de la velocidad.

—Me parece una fórmula demasiado simple.

—Pero funciona.

Habían hecho fotos del cementerio, de las lápidas con los apellidos, algunos de ellos mal escritos, y mucho después, Eleazar, en un encuentro casual en Buenos Aires, se las había mostrado a Kramer en un café, cerca de la estación de ómnibus desde la que el médico partiría horas más tarde hacia el sur, huyendo de una aceleración de la historia para la cual no estaba preparado.

Eleazar y el tiempo ocupaban la cabeza de Kramer cuando apareció en el bar el comisario llegado de Campo Largo. Sus dos subordinados se habían ido sin que Kramer se diera cuenta.

23
Interrogatorio

Los cielos no son menos constantes, a pesar de que se
mueven continuamente, porque se mueven continuamente en un mismo y único camino.

JOHN DONNE, *Devociones*

Era un individuo cetrino, flaco como un palo, con un bigote
canoso, lacio y caído. Debía de estar próximo a la jubilación,
si no había superado la edad. Se acodó en el mostrador a
menos de un metro de Kramer y lo miró sin disimulo ni ferocidad, no como un depredador a su alimento, sino como
un científico a su objeto. Si algo había aprendido a reconocer
el médico en su accidentada existencia, era el resentimiento.
Y ahí, en el tipo que lo miraba, contra lo que cabía esperar
de un policía de provincia, mal pagado y a la vez investido
de poder, no había el menor rastro de esa pasión del alma.
Lo que sí había era una descontrolada soberbia, fruto de una
confianza en sí mismo que, justificada o no, funcionaba en el
hombre como un estimulante y, con toda probabilidad, como
un rasgo de autoridad carismática en sus subordinados. Por
eso no puso sobre la superficie de estaño el revólver, estimó
suficiente probar su existencia al acomodarse la ropa, el saco
ostensiblemente innecesario en aquel clima.

–Usted es el doctor Kramer, ¿no? –hizo la primera pregunta tendiendo la mano.

–Sí, aunque hace mucho que no ejerzo –Kramer estrechó la mano que se le ofrecía–. Si tiene problemas de salud, le recomiendo a mi prima, la doctora Feinsilber.

El otro se aproximó a la sonrisa pero no la dejó aflorar.

–El problema de salud lo tiene otro –dijo–, y es definitivo. Me contaron que fue usted el que se dio cuenta de que al finado le habían metido una puñalada. Soy el comisario Rojas y vine a ver qué había pasado. ¿Lo sabe?

–Me lo imagino, pero no tengo ninguna seguridad. Es una teoría y usted no tiene por qué escuchar teorías que no lo van a llevar a ninguna parte.

–A lo mejor sí me llevan. Escucho.

–Es probable que el suizo no fuera suizo –consideró Kramer.

–¿Alemán?

–Sí, y con un pasado oscuro.

–Mire, doctor, esta zona está llena de nazis viejos, me lo sé mejor que usted.

–Pero no tenemos prueba ninguna de que ese hombre lo fuera. Es apenas una suposición.

–Teníamos pruebas, pero usted se las llevó en una caja de sombreros.

–No suponía que la vigilancia fuera tan eficaz –se asustó Kramer–. Tampoco se me ocurren motivos para que me lo revele sin vueltas. No le di razones para que confiara en mí.

–¿Por qué no se deja de joder, doctor? Yo soy policía y mi trabajo consiste en averiguar. Además, hay teléfonos, faxes y computadoras. Hace tiempo que sé que iba a venir. Tranquilícese, me lo dijo mi colega Borges. Por acá pasa de todo, tengo un territorio demasiado grande para controlar, y prefiero prevenir. ¿Qué piensa hacer con la caja?

Kramer aún no lo había decidido, pero sintió que debía dar una respuesta, aunque fuera en homenaje a la pavorosa eficacia de Borges, tranquilizadora en ese momento, temible en cualquier otro.

—Quemarla —aseguró—. ¿Usted está obligado a comunicar la muerte al consulado suizo?

—En teoría, sí. Pero es algo que se me puede traspapelar. No creo que el cónsul, si hay alguno por acá, pregunte nada. Sin contar con que este tipo podría haberse nacionalizado argentino y nosotros podríamos encontrar algún papel que lo demostrara y podríamos enterrarlo como compatriota etcétera, etcétera.

—Si lo comunicara al consulado, surgirían problemas. Porque el pasaporte seguramente es falso.

—¿Sabe quién lo mató?

—No, pero estoy seguro de que ya está bastante lejos de acá.

—Llegó otra gente con usted.

—Son mis amigos.

—También un muchacho, hijo de uno del pueblo. Judío.

—Tiene razón, lo vi al muchacho. Vino a ver al padre, no a asesinar a nadie. Habrá tenido muchas oportunidades antes, ¿no? Si es que sabía quién era el suizo y si es que el simple hecho de ser judío lo inclinara a matar sospechosos de nazismo. Hay muchos miles de nazis por ahí, y muchos más judíos, y los nazis son conocidos y siguen vivos. No. Si realmente le interesa mi opinión, no lo hizo nadie del pueblo. Fue un tipo de paso.

—Sí, seguramente.

—¿Cómo se va a llevar el fiambre? Empezó a pudrirse demasiado rápido, huele muy mal y va a contaminar por un tiempo largo el vehículo que lo transporte.

—No me lo voy a llevar. Lo vamos a enterrar acá.

—¿No hay que avisar a un juez?

—El juez está muy cansado. Además, es un caso de muerte natural. Él no tiene nada que hacer.

—Comprendo. Apoyo su decisión.

—No me hace falta su apoyo para decidir. Me hace falta su colaboración en el olvido. Acá no pasó nada. No me voy a poner a buscar a un fantasma homicida. Y la víctima no merecía el esfuerzo.

—¿Lo conocía?

—Nunca hablé con él, pero lo conocía bastante. Él decía que tenía una pensión pero en realidad alguien le mandaba plata todos los meses. Una persona, no un Estado ni una institución. Y no venía de Suiza ni de Alemania.

—¿Me va a decir de dónde?

—Sí, para que se quede pensando. De Inglaterra.

—Interesante. Muy interesante, aunque yo no sea el más indicado para valorar el dato. Sólo comprendo lo que comprende todo el mundo, sé que esos tipos pasaron por Roma, que Perón los protegió acá, que los ingleses se lavaron las manos y que, si la naturaleza sigue su curso, deben de estar muriéndose como moscas de puro viejos.

—Con eso basta, ¿no?

—Probablemente.

—Voy a cerrar el asunto. Lo hago enterrar y me voy.

—Me parece muy bien, comisario.

—Al final no tomé nada. ¿No hay nadie que atienda?

—No salió nadie en este rato.

—Me voy a servir yo. ¿Quiere algo?

—Un vaso de vino.

El comisario rodeó el mostrador y abrió la heladera. Sirvió dos vasos de vino blanco frío. Brindaron y bebieron. Cuando el policía estaba a punto de salir, ya en la puerta, entraron Bruno Rotta y Marina Morgenstern. Se saludaron al pasar. Ella se puso pálida y aceleró el paso para acercarse a Kramer y ponerle las manos en los hombros: lo miró fijo a los ojos.

—Ese es el tipo que vi, el que mató a Heisenberg —le dijo, ansiosa, como si pretendiera que Kramer fuera a detenerlo.

—Ya sé que es ese. El comisario. Acabamos de hacer un pacto.

—¿Él y vos?

—Nosotros y él. Al alemán no lo mató nadie. Se murió.

—¿Así de fácil?

—Sí, así. Andá a mi pieza y agarrá la sombrerera con todo. Vamos a quemarla.

—¿La traigo?

—Al coche.

Fueron hasta el río con la caja, la gorra, la fotografía, las cartas de Gerta, y se alejaron del pueblo un par de kilómetros bordeando la corriente.

Kramer tenía nafta de repuesto en el baúl del coche. Roció generosamente el montón, reunido en la caja destapada, muy cerca del agua, guardó el resto del combustible y volvió para arrojar desde lejos un fósforo encendido. Bruno y Marina lo miraban, apoyados en el coche, sin moverse. La llama levantó al instante.

Cuando se consumió, Kramer se acercó y removió las cenizas a medio apagar. Aún quedaban fragmentos de las cartas y una parte de la gorra, de modo que repitió toda la operación. Al final, lo único que resistió fue el alma metálica de la visera. La recogió con el pañuelo, doblándolo para no quemarse los dedos, y la echó al río con toda la fuerza de la que fue capaz. Se oyeron a la vez el golpe sobre la superficie y el siseo del apagado final.

Hubieran necesitado la pala de Segundo López para acabar con todo, pero Bruno se arregló con una rama rota cargada de hojas, una escoba proporcionada por la naturaleza, para empujar las cenizas y las ascuas aún vivas hacia el agua. Lo que quedó era como el resto de cualquier fuego que alguien hubiese encendido para asar un pescado. Nadie más sabría nada de Heisenberg. Y nunca más nadie volvería a mencionar al comisario Rojas. Sólo Kramer sabía su nombre.

24
Nochebuena

Mira, Tadeo, mira esta esfera, cuyas agujas van a señalar la hora veinticuatro.

CHARLES NODIER, *Mademoiselle de Marsan*

Kramer y Lucinda fueron los primeros en llegar a la casa de Rosen, donde el fuego estaba preparado desde temprano en el jardín o patio trasero, tierra arrasada, sin siquiera malezas, en la que se habían clavado con esfuerzo los espetones con los chivitos crucificados, bichos pequeños que se iban cociendo con lentitud, pasando del rosa rojizo al rosa grisáceo y al púrpura metálico con hilos próximos al dorado en las partes más finas; las ascuas, de las que se elevaban por momentos algunas llamas efímeras, yacían a más de medio metro de los animales. Cerca, sobre una mesa larga, esperaban las ensaladas y el vino y la sidra para el brindis. Había la cantidad justa de platos y de vasos, así que cada uno tendría que usar los mismos para todo. Las sillas y los taburetes, distintos entre sí con la excepción de un par de banquetas de mimbre, estaban por ahí: el que quisiera arrimar su asiento a la mesa era tan libre de hacerlo como el que prefiriera aislarse y rumiar sin sentirse obligado a conversar con los demás.

Bruno Rotta y Marina llegaron por su lado, después de un largo paseo en el que habían descubierto que sólo era posible ir del pueblo al río y del río al pueblo, o salir al camino de ripio y a la carretera para alejarse definitivamente.

El padre Valdés fue el último, vestido de calle, sin nada que revelara su condición de sacerdote. El crucifijo sencillo, que la camisa abierta dejaba ver, podía llevarlo cualquier cristiano.

—Parece que se arregló todo —le comentó el cura al viejo Rosen, que oficiaba de asador contemplativo.

—Sí, ya sabés cómo son estas cosas…

—No, no sé cómo son.

—Cuanto menos ruido, mejor. ¿Era cliente tuyo?

—No. Hablé con él una sola vez y me dijo que era luterano. O me lo advirtió para que no lo molestara.

—Sí, debe de haber sido una advertencia. Porque vos y yo somos unos tipos bastante raros, pero los protestantes son rarísimos. Se cortan solos. Pero bueno, fueron así desde el principio, separándose y volviendo, separándose y volviendo, esto les viene bien pero aquello no…, son como trotskistas de la religión. O los trotskistas son como protestantes del materialismo.

—Esperá, esperá, que hay más judíos trotskistas, empezando por Trotski, que católicos metidos en cualquier movimiento laico.

—Claro, porque ustedes son unos sectarios de mierda. Uno puede ser lo que se le ocurra, inclusive trotskista, sin dejar de ser judío. Ustedes no, ustedes siempre con la murga de lo incompatible. ¿Y sabés por qué? Por la cosa esa del perdón. A mí nadie me tiene que perdonar por mis elecciones ni por mis decisiones. A ustedes sí. Hay que arrepentirse de todo, de ser trotskista, de coger, de lo que sea, y decírselo al cura. Claro que si no fuera así, vos no tendrías empleo. Hay rabinos sin laburo, ¿lo sabías?

—Sí, lo sé. Pero pienso que tanta manga ancha no debe de beneficiar demasiado, porque ustedes son cuatro gatos y nosotros, en cambio…

—No me vengas con esas cosas de propaganda, que también son cada día menos. Los únicos que hoy son más que ayer y menos que mañana son los mahometanos y los evangelistas. Y no me vas a decir que esas son religiones verdaderas.

Lucinda apareció en ese momento con dos vasos de vino para ellos.

—Las guerras de religión se acabaron en Europa hace rato —dijo.

—Acá todavía no empezaron —observó don Jaime.

—Pero no estaría bien que las empezaran ustedes, que son amigos.

—Sí, eso es cierto —reconoció Valdés—, pero no podemos evitarlo. Mirá, hablemos de lo que hablemos, siempre terminamos en eso.

—¿Y hoy de qué estaban hablando?

—Del muerto.

—De eso es preferible no hablar.

—Y por eso cambiamos de tema —aclaró Rosen.

—En ese caso —aceptó Lucinda—, me parece mejor el debate religioso.

—¿Ves? —Rosen se dirigía al cura—. Los judíos siempre sabemos lo que más conviene.

—¿Lo decís por la doctora? Pero si esta piba es más cristiana que yo, y hasta que vos, Jaime —protestó el cura.

137

—Gracias por lo de piba, padre.

Lucinda se fue a servir vino a los demás.

Federico Rosen y Marina se habían sentado a la mesa, en un extremo, muy juntos. Ya tenían su vaso.

—Yo sé a qué viniste, y sé que no alcanzaste a hacerlo —decía ella. Fue lo único que Lucinda oyó, pero le bastó para saber de qué hablaban.

El viejo Rosen empezó a cortar trozos de chivito y a ponerlos en platos. El cura los llevaba a la mesa. Lucinda y Kramer ocuparon la cabecera opuesta a la de Marina y Federico. Cuando todos tenían sus platos apareció Cecilia, la muchacha de la pensión, y fue a darle un beso a don Jaime.

—Andá a la cocina, que quedan tres platos más y hay vasos y tenedores y todo eso —le dijo el viejo.

No fue ella la única que se añadió a la fiesta. Jaime Rosen, pobre como las arañas, protegía a mucha gente que apenas si se las arreglaba para sobrevivir pero que conservaba el alma. Un alma por lo general maltrecha, golpeada por el desamor o, lo que es peor, la falta de inteligencia ajena. Rosen hablaba con ellos, escuchaba con paciencia infinita, daba consejos cuando le parecía posible y las más de las veces se limitaba a preparar café, dar abrazos y contar chistes que, aunque fueran viejos o repetidos, adquirían una gracia nueva en su manera de desarrollarlos y elevaban la moral del otro. Valdés sabía muy bien todo eso, conocía ese sacerdocio y trataba a don Jaime como un igual. En ocasiones, el respeto daba paso a la admiración y el cura pensaba que su amigo judío realmente poseía el don de la salud y el consuelo, del que él mismo carecía. Al final de la noche, había cuatro personas a las que nadie había visto antes, gente de los alrededores, que se turnaban en el uso de los platos y compartían vasos y se sentían cómodos en esa casa que estaba abierta para ellos.

—Todo el mundo habla de Lustiger —le dijo Lucinda a Kramer, con cierta inquietud.

—Dejalos que hablen. Dentro de cuatro días lo habrán olvidado. No pasa nada. ¿Te fijaste en Federico y Marina?

—Conectaron bien, parece. Ella es judía, ¿no?

—Sí.

—Es lo que a don Jaime le gustaría. No conozco un hombre que tenga más ganas de tener nietos.

—Pero los va a tener lejos. Él es un maestro y seguramente querría educarlos.

—Mirá, creo que si el hijo le da un nieto, se va al fin del mundo para estar con él.

—No me sorprende. Si yo tuviera hijos…

—No le des vueltas a eso. No llegamos y listo. Hay que vivir con lo que se tiene. Bastante pagaste vos por lo que no podía ser.

—Y vos estás pagando, Lucinda. Por lo que no puede ser.

—Por la gente.

—No, por vos, por tu idea del mundo. La gente está ahí, y pierde tanto tiempo en pedir ayuda como vos en dársela. A lo mejor, lo que tendríamos que hacer todos es buscar una solución particular. Si no, vamos a acabar confundiendo la caridad con la atención médica a nazis jubilados.

—Estás enojado.

—No. Sólo quiero decirte que me gustaría que cuando me vaya de acá, te vengas conmigo.

—¿Sólo eso? —sonrió ella.

—Sólo eso.

—Me lo pienso un rato y te digo.

—Pensátelo bien.

Fueron a servirse más comida.

A medianoche, el padre Valdés propuso un brindis con sidra por unas causas que nadie entendió pero a las que todos respondieron con un unánime salud, como si dijeran amén después de un parlamento en latín. Ninguno de los presentes se sentía especialmente católico: la parroquia de misa la componían otros. Estos apreciaban al cura pero no comulgaban y, por alguna razón más o menos oscura, él estaba encantado de celebrar con ellos lo que no celebraba con los otros. La pasión evangelizadora lleva en muchos casos a ocuparse más de los ajenos que de los propios. Los ajenos, los que no iban a la iglesia, que poco sabían de catecismo, cuando comprendían algo, lo comprendían profundamente y lo tomaban muy en serio. No cuestiones teológicas, no les interesaban la trinidad ni las tesis monofisitas, y les hubiera costado hacerse cargo de que cosas así hubiesen hecho pedazos civilizaciones enteras. A ellos les preocupaba el recto proceder, la justicia, la salvación en este mundo, y de eso entendían tanto el cura como Rosen, así que conversaban con los dos, con parecidos resultados. Brindaron cada uno por lo que estimaba de más mérito para un brindis, sin decirlo en voz alta.

Al final, los Rosen se quedaron solos.

—¿Te gustó la nena esa? —quiso saber el viejo.

—Bastante. Es muy rara, pero coincidimos en unas cuantas cosas.

—¿Por ejemplo?

—Los dos queríamos hacer lo mismo.

—¿Qué?

—Matar al alemán. Vino a eso.

—¿Y cómo llegaron a hablar de una cosa así? Es demasiado íntimo, ¿no?

—Sí, pero es que ella sabía lo mío. Me dijo que lo sabía, y también que sabía que no lo había hecho.

—¿Y cómo lo sabía? ¿Lo adivinó?

—En realidad, sí. Es que ve cosas. Y me lo demostró. Dice que es bruja.

—Tené cuidado. No debe de ser fácil la vida con una mina así.

—¡Eh, no corras tanto! Estamos hablando, no organizando el futuro.

—Mirá, el futuro nunca lo vas a organizar vos. Siempre lo organizan ellas, y sin necesidad de ser brujas. Lo que me preocupa no es saber si la elegiste, la cuestión es si te eligió ella.

—Bueno, dejá que las cosas pasen y después las comentamos.

—¿Ves? Vos esperás que las cosas pasen. Ellas las hacen pasar.

—Pero al final, ¿querés que me case o no?

—Claro, con una persona adecuada.

—Si fueras madre, en vez de padre, no serías más pesado. Ninguna mina te va a venir bien para el nene. Pero las minas son asuntos del nene, que no es un misógino como vos.

—¿El conocer a las mujeres ahora se llama misoginia? Hablo con la voz de la experiencia.

—Pero me querés meter en un matrimonio, cosa que vos no aguantaste en tu vida. Con mi vieja estuviste diez minutos, y con las demás no llegaste a cinco.

—Bueno, con tu mamá lo justo para tenerte a vos. Y no estoy buscando meterte en un matrimonio, sino que tengas hijos.

—Y te los traigo y los crias vos, acá. Mirá, discutir estos temas me parece una pelotudez. La vida traerá lo que sea.

—Conviene tener algún plan para oponerle. Si no, arrasa. Los planes son como pilas de bolsas de arena: la inundación llega a pesar de ella, pero muy atenuada. Te moja las piernas, no te ahoga.

—¿Vos tenés planes?

—Sí, aunque menos ambiciosos que los que vos deberías tener. Los míos son por días, a lo sumo por semanas. Ya sé que nadie tiene garantizada la mañana siguiente, pero la estadística dice que a vos te queda más tiempo en este mundo que a mí. A veces pienso en irme a Brasil con vos.

—Dale, vení. Para volver siempre hay tiempo.

—No, sería una carga. A lo mejor en abril o mayo, cuando baje un poco el calor, te hago una visita, para salir de acá un rato.

—¿No querés que hagamos un viaje a Israel? Tengo la guita para los dos.

—¿A Israel? ¿Para qué? ¿Para ver millones de judíos juntos? Bueno, eso sí, a mirar cómo se portan. A comprobar lo que cambió en veinte años.

—Ese sí que es un plan de verdad.

—Me gusta. Con vos. Solo no iría.

—Claro, conmigo.

—Sin conocer a esos amigos tuyos que andan buscando nazis.

—Son interesantes, pero no obligatorios.

—Me voy a la cama a considerarlo. Mañana lo hablamos de nuevo.

—Nos haría bien, viejo. A mí, por lo menos. Unas cuantas clases de historia sobre el terreno.

—Pero mirá que la historia que yo conozco no es la oficial. A mí me la contaron en yídish, y sé que hay mucha gente que se siente incómoda cuando hablo de eso.

—La historia oficial está en los libros. La otra sólo está en vos.

—Espero que no, confío en que alguien más se acuerde.

Se despidieron con un abrazo.

25
Nocturno

¡Cuánta alegría en este furor del comprender […]!

PIER PAOLO PASOLINI, *Picasso*

Cecilia no era nadie. Andaba por ahí. Hacía las camas de los escasos visitantes que alguna vez dormían en el pueblo, en las dos piezas que la vecina del bar alquilaba, y servía cuando hacía falta en el mostrador o en las mesas. Era insomne pero no lo consideraba una tragedia: se las arreglaba con el par de horas de antes del amanecer que pasaba con el cuerpo en el lado del sueño y la cabeza en el de la vigilia, después de leer lo que encontrara, que no era mucho: algunas novelas baratas habían ocupado sus noches reiterativamente, novelas sentimentales con chicas pobres y príncipes desclasados que besaban bellas durmientes proletarias y se las llevaban al cielo de los ricos. Kramer tampoco dormía demasiado. Esa noche se encontraron en la oscuridad, en cuya trama ella veía más que él. Adivinó la presencia del médico en el patio desde lejos, por el ascua de su cigarrillo y el olor del tabaco, y se acercó cuidando de no hacer ruido para no asustarlo. Él la percibió cuando la tuvo a unos dos metros y supo que era ella por un rastro de colonia y sudor leve.

—¿No dormís, Cecilia? –preguntó.

—Casi nunca, doctor.

—¿No tomás pastillas?

—No, nunca. Me acostumbraría y por acá se consiguen difícil.

—Vení, sentate. Hablemos. O no hablemos. Hagámonos compañía. ¿Vos fumás?

—Sí, pero un poco más fuerte que usted –se sentó en una silla de paja igual que la que tenía Kramer, muy próxima a él. Encendió trabajosamente un cigarrillo negro: las cabezas de los fósforos se pegaban a la lija de la cajita sin hacer chispa, por la humedad. Lo consiguió a la tercera. Kramer se abstuvo de ayudarla: probablemente a él le pasara lo mismo–. ¿Está enamorado, doctor?

—No, no creo. No me pasa lo que vos te imaginás. Uno se enamora a tu edad, no a la mía. Es otra cosa. No veo lucecitas ni siento gatitos rascándome la barriga desde adentro, no me vuelvo loco. Pero sí que quiero a alguien. Acabo de comprender que la quiero. Tranquilamente, sin que me duela nada.

—Eso es mejor, ¿no? A mí me hubiera gustado sentir así pero nunca pude. Me enamoro con todo eso que usted dice, lucecitas, gatitos y dolor. Bueno, me enamoré dos veces, no es una cosa de todos los días.

—¿Y?

—Mal. Los hombres no se quedan ni me llevan con ellos. Y yo no me atrevo a irme sola a otra parte, a buscar amor en otra parte. Nací en un lugar de paso y me quedé en un lugar de paso. No sé qué hay que hacer para irse.

—Lo primero es tener ganas.

—Eso tengo.

—Lo segundo, tener un medio de transporte.

—Eso hay. Colectivos, trenes. Hay que llegar a Campo Largo, ahí hay de todo.

—Y yo tengo un coche. La tercera cosa, no tener nada que perder.

—No tengo. ¿Qué voy a perder?

—Qué sé yo. Gente, lo que se pierde es siempre gente.

—No tengo. Nadie me ve. Usted, ahora, en la oscuridad. Pero a la luz, no. ¿Me vio en la fiesta, hace un rato?

—Perfectamente. Pensé que eras muy linda.

—¿Me lo dice en serio?

—No tengo por qué hacer bromas con una cosa así. Además, no es algo que yo haya pensado, sino que está ahí. Sos linda.

—Y sé leer y escribir. Bueno, la doctora me ayudó, me enseñó. Y leo lo que puedo. No hay muchos libros, ella me prestó los que tenía, novelas. Y sé coser bastante, el vestido que llevo me lo hice yo, aunque ahora no se ve. Bueno, usted lo vio en la casa de don Jaime. Él también me prestó libros. Y habla conmigo casi todos los días. Él me dijo muchas veces que me fuera.

—Mirá, te voy a proponer una cosa.

—¿A ver?

—Te venís a Buenos Aires conmigo y con mi amigo Bruno. El primer tiempo, comés y dormís en casa. Y buscás trabajo. Cuando puedas, te vas a vivir sola o con quien quieras.

—¿Y por qué iba a hacer usted algo así? No soy su hija ni su novia.

—Pero sos una muchacha valiosa y te estás perdiendo ocasiones de ser feliz. Me gustaría que fueras feliz. Por eso lo haría.

—Le voy a decir una cosa, doctor, y espero que no se me ofenda.

—Decime, te prometo que no me voy a ofender.

—Yo no voy a acostarme con usted. No es que no me guste, pero es de la doctora y yo a ella la respeto mucho.

—¿Yo te dije algo sobre acostarte conmigo?

—No, pero se lo digo porque a lo mejor lo está pensando.

—No, no lo estoy pensando. Y si fuera eso lo que quisiera, te lo diría, no te empaquetaría con la promesa de un viaje ni nada parecido. Te lo pediría y esperaría que lo hicieras o que no lo hicieras.

—Perdóneme si lo molesté.

—No me molestaste. Te entiendo perfectamente. Uno hace lo que la vida le enseña a hacer. A vos te enseñó a defenderte, a mí me enseñó a no hacer daño, así que podemos llevarnos bien.

—Es muy bonito lo que me acaba de decir. Lástima que sea cosa sólo de los dos. Aunque quisiéramos, no podríamos repetir todo lo que hablamos, y al final, cuando nosotros ya no tengamos memoria, se perderá. ¿Sabe? Si yo escribiera un libro alguna vez, lo haría con estas cosas, con lo que la gente dice, para que no se olvidara.

—A lo mejor, lo que decimos ya está escrito, porque fijo que a todos nos pasan cosas más o menos parecidas, y también sacamos conclusiones más o menos parecidas. Las historias se repiten más de lo que creemos. Considerá lo de ir a Buenos Aires conmigo.

—¿La doctora también iría?

—Yo se lo pedí. Se lo está pensando.

—Si ella va, yo voy, seguro.

Cecilia se puso de pie. Kramer le tomó una mano y se la besó.

—Andá a dormir. Hasta mañana.

—Hasta mañana, doctor.

26
Nos vamos todos

El lugar que cada uno ocupa es siempre un lugar extraño.
El pan que se come es siempre el pan de otro.

Simone de Beauvoir, *¿Para qué la acción?*

Ni Kramer ni Lucinda, y mucho menos Cecilia, se dieron cuenta de lo que estaba pasando. Seguía habiendo grupos que recorrían a pie las carreteras y protestas, un poco menos estridentes, en las puertas de los bancos. Nadie gobernaba, cosa que el tiempo demostró infinitamente más benéfica que cualquiera de los gobiernos recordados por la población. Muchos se organizaron para producir lo que fuera en fábricas abandonadas por los patronos, que tenían su dinero fuera del país desde hacía años. Pero los que carecían de tal confianza en la historia y que en los primeros días habían gritado hasta quedarse sin garganta, pidiendo que se fueran todos, todos los que hasta entonces habían mandado y todos los que aspiraban a mandar, empezaron a girar y a considerar el mundo desde otra perspectiva. Todo podía arreglarse en un tiempo breve, unos pocos años. Pero si unos pocos años son nada en los grandes ciclos de la humanidad, suelen serlo todo en el corto plazo de una vida individual. Y los que mandaban y los que aspiraban a mandar no se mostraban proclives a ausentarse. Así que, en el curso de un par de semanas, en forma gradual pero rápida, en los comienzos del año 2002, se invirtió la consigna y los que vociferaban que se fueran todos comenzaron a susurrar, interrogativos, si no sería más práctico dejar a esos todos ahí e irse del país, y a susurrar un poco más fuerte, ahora afirmativos, que el país no tenía arreglo y que lo mejor era irse, haciendo bueno el anuncio de Bolívar para el continente entero: en América, lo único que se puede hacer es emigrar. El paso del que se vayan todos al vámonos todos fue imperceptible mientras tenía lugar y ostensible cuando se completó. Como suele suceder en las transiciones del deseo irrealizado e irrealizable al deseo posible, de la propaganda a la acción, de la retórica a los hechos pelados.

Inesperadamente, Kramer, que miraba con gran escepticismo la idea de cualquier nuevo comienzo, y Lucinda, que durante siete años se había estado convenciendo de que Yacaré Viejo era su último puerto y el sentido de su vida, dieron en coincidir con Cecilia, que no había pensado en toda su vida en otra cosa que en irse. Era cierto lo que Rosen le había dicho a su hijo respecto de la necesidad de tener un plan para oponerse al azar negativo de la existencia, y el único plan posible ahí y entonces era ese: la huida. Hay momentos en que la historia individual y la historia general coinciden sospechosamente y, aunque cada uno esté convencido de tomar auténticas y particulares decisiones, se descubre de un día para otro haciendo más o menos lo mismo que los demás.

Eso fue lo que sucedió entre los últimos días de aquel año y los primeros del siguiente, un período sin historia visible, en el que el pasado se ausentó para volver poco después con una fuerza desconocida, de maremoto, dispuesto a arrastrar a todos los que encontrara a su paso. En las grandes catástrofes naturales, son los pájaros capaces de mantenerse en vuelo los que mejor sobreviven: advertidos por su mágica intuición, se refugian desde el principio en las ramas más altas de los árboles, dispuestos a elevarse a la menor señal de desarreglo. Bruno dedicaba un tiempo cada día a mantener el coche en perfecto estado, limpio por fuera y por dentro, asegurándose de que el tanque estuviera lleno y no tuviera filtraciones, en espera del gran aviso. Tenía menos razones que Kramer para permanecer en el pueblo, pero esperó, como saben esperar los amigos, que se resolviera lo que llamaba "la cuestión Lucinda". La existencia futura de Kramer dependía de una mujer a la que no temiera amar.

—¿Te la vas a llevar, alemán? —preguntó apenas pasada la Navidad.

—Creo que me gustaría —Kramer no podía comprometerse en nada más firme que eso: aún no se creía nada de lo que le estaba ocurriendo.

Los dos sabían ya que habría asientos libres en el automóvil, que Marina se iría al Brasil con Federico y luego, tal vez, a Madrid. Sobraba espacio para Lucinda y para Cecilia.

El 27 de diciembre, Kramer tuvo una charla con Jaime Rosen. El viejo tenía seguridades de las que él carecía. No fue un encuentro casual, sino que Rosen lo invitó, a él solo, a comer tallarines con un pesto preparado con la albahaca que cultivaba en un terreno cercano al río.

Se sentaron a la mesa de afuera, la de la celebración de la nochebuena, y hablaron durante la cena de casi todo, mezclando asuntos. Hasta mucho más tarde no comprendió Kramer que aquella charla sin dirección visible había sido un interrogatorio en toda regla y que, al final, Rosen sabía de él todo lo que hacía falta saber, sin necesidad de contar la vida. Al final, don Jaime hizo una afirmación esencial:

—Usted, doctor, vive con vergüenza. Le da vergüenza emborracharse, le da vergüenza haber amado a una mujer que no le convenía, le da vergüenza ser judío, le da vergüenza haber venido a buscar a su prima después de tanto tiempo, como si ella no lo hubiera esperado. No sé por qué siente tanta vergüenza. El alcohol es un asunto peligroso, lo reconozco, pero hay millones de tipos que pasan por él. Las mujeres de las que uno se enamora ferozmente rara vez son las que nos convienen, en el supuesto, muy arriesgado, de que alguien le convenga a alguien. Y las otras, las que uno puede amar con cierta serenidad, son las que nos esperan siempre. Y ser judío no es una vergüenza, es una elección, y usted la ha hecho por su propia cuenta. No habla del asunto, pero tampoco le pide al padre Valdés que lo bautice para quitarse de encima ese pecado original.

—Tiene razón —reconoció sin vacilar Kramer—. Vivo con vergüenza. De lo que no estoy tan seguro es de que las causas sean esas.

—Yo no dije que esas fueran las causas. Sólo enumeré una serie de asuntos en los que su vergüenza se manifiesta. Pero el origen está en otra parte. Está en su sentimiento de haber malversado todo lo que lo llevaba hacia un destino superior. Cualquier otro hablaría de frustración, de fracaso. Yo prefiero hablar de malversación de destino porque creo que nos son dadas oportunidades, posibilidades, que cada uno es capaz de aprovechar o de tirar a la basura. Dios le da dientes al que no tiene pan, y pan al que no tiene dientes. Ganarse el pan cuando se tienen dientes no es tan difícil como desarrollar una buena dentadura cuando el pan está al alcance. La mayoría negocia, moja el pan y se lo come a cachitos, o ahorra para una postiza o se la compra a un trapero. A usted le dio un montón de dientes y hasta me atrevería a decir que puso bastante pan a su alcance. ¿Y dónde estamos? En nada.

—Eso sí que es ir al grano. ¿Por qué está tan seguro de que le voy a hacer caso?

—Porque usted sabe perfectamente todo esto pero le da miedo ponerlo en palabras. Y me va a dejar ese trabajo a mí porque yo no existo. Porque estoy acá. En Buenos Aires, a un psicoanalista, a un consejero o a un rabino, puede encontrárselos por la calle. Su amigo Bruno jamás le va a decir nada de esto porque lo admira. Y no digamos Lucinda.

—Sigo escuchando.

—Y yo sigo hablando. Familia, digamos, de clase media alta. Un chico inteligente, bastante más que los otros. Estudia medicina sin inconvenientes, no le falta nunca la guita, no tiene que trabajar. El resultado es un médico que también es más brillante que sus colegas. Un maestro, un héroe de las guardias que deja a todo el mundo con la boca abierta por sus actuaciones radicales y sus éxitos casi milagrosos. Y de pronto se enamora, de una botella y de una mujer.

—Por ese orden, precisamente. Pero hay otras cosas. La política, por ejemplo.

—No, para usted la política no significa nada, ni entonces ni ahora. Lo que sí significa es la caridad, esa manía de arreglarle la vida a los demás. Una manía judía que los cristianos consideran el más alto grado de la salud mental. Todavía quedan algunos judíos capaces de amar a su prójimo en la misma medida en que se aman a sí mismos, pero los cristianos se volvieron locos del todo y pretenden amarlo más que a sí mismos. En eso, usted es un cristiano, así que se puso a hacerlo, a colaborar en un plan definitivo para que todo el mundo tuviera la vida resuelta. Hechas unas pocas cuentas falsas, resultaba que el Estado, más poderoso que Dios, le podía proporcionar a todo el mundo dientes largos, fuertes y afilados, y pan y peces en constante multiplicación.

—Es una manera de verlo.

—Es lo que es. Y justo cuando se mete en eso, aparece esa mujer. De la mezcla, más o menos aceptable, de ciencia y caridad, usted se pasa a la de sexo y caridad. Y, como no es fácil vivir así, le echa un poco de ginebra. Manda al carajo al médico atrevido y milagroso. No sé ni me importa saber en cuál de las muchas locuras que se organizaron en aquella época se metió. A lo mejor ni siquiera usted lo sabe: no se preocupe por eso, casi nadie sabía en qué se había metido. Pensaban que eran peronistas, o que eran trotskistas, o que eran cualquier cosa que se les hubiera ocurrido ser, pero eran peones de ajedrez en una partida que no jugaban ellos. Usted también.

—Lo sé. Eso lo aprendí.

—Entonces tendrá que aprender que eso no tiene la menor trascendencia, que lo que le ha pasado a usted le pasó a medio mundo en el pasado. ¿O se cree que los que hicieron las grandes revoluciones, la francesa, la rusa, sabían más sobre su propio papel? No tenían idea de lo que estaban haciendo. Y tampoco los dirigentes tenían una visión completa. Lo que habían hecho se entendió, más o menos, después, cuando pasó a ser contado. Lo que se entiende es el cuento, pero los personajes se pierden la mejor parte. Cuando sale para la casa de su abuela, Caperucita no sabe lo que va a pasar con el lobo, ¿no? Bueno, usted también, salió para la casa de los pobres con su canastita llena de caridad sin prever lo que se iba a encontrar en el camino. Y como usted, un montón.

—¿Un montón?

—Un montón. Por lo menos, dos mil o tres mil. Un diez por ciento de los que desaparecieron. El otro noventa por ciento ni siquiera había salido de su cama o de su rutina. Ni siquiera creían ser lo que no eran. Se los llevaron por si acaso, para robarles la casa o porque eran conocidos de conocidos de los dos mil o tres mil que creían ser lo que no eran.

—Yo contribuí a sacar a algunos, a conservarlos con vida hasta que los metían en un avión y se los llevaban, a Europa, según supe más tarde.

—Sí. Por lo que me contó, su trabajo fue interesante. No mató a nadie, no le afanó a nadie, no puso bombas... Al contrario. De eso no puede quejarse.

—Era un negocio.

—¿Y? ¿Usted procesaría a los cónsules que vendían pasaportes para los judíos en el 38 ó el 39? Otros los regalaron. Hubo gente que se salvó pagando y otra que se salvó sin pagar. Lo que hay que agradecer es que se hayan salvado. No tiene por qué avergonzarse de eso. No tiene por qué avergonzarse de nada de lo que hizo como médico. Sí lo tiene por lo que no hizo, y por lo que no hizo por usted mismo. Todavía puede hacerlo.

—¿A mi edad?

—¿Qué tiene de malo su edad? ¿Se olvidó de lo que sabía?

—No. Sólo necesitaría actualizarme un poco.

–Búsquese un hospital o abra un consultorio. Lucinda lo ayudará.

–Usted está muy convencido de que ella se va a ir conmigo. Por el momento, se lo pedí y se lo está pensando.

–Empezó a pensarlo el día que la llamó. Yo soy su amigo, una persona con la que se habla de los sueños, de los deseos, hasta de las malversaciones. Se va a ir. Se va a llevar ese disco de los Beatles y se lo va a hacer escuchar hasta el último segundo de su vida. Lo guardó para eso, para recordarle que ahí había habido un amor y que aún espera algo de él.

–Yo también espero. Fijesé que volví del otro lado hace unos cuantos meses y la única persona a la que busqué fue ella. Sin darme cuenta, sin fantasías, sin esperanza, pero la busqué.

–Y se vino hasta acá. Cualquier otra mujer le daría miedo. Pero esta lo va a acompañar hasta el final. Hasta coger va a poder, sin asustarse por las consecuencias probables. No es un enganche, es su destino. No lo eche a perder.

Kramer le hizo caso a Rosen.

Aquella noche, todos cambiaron de cama. Bruno Rotta ocupó la pieza que hasta entonces había ocupado Marina: Federico durmió con ella en la habitación doble. Kramer se fue a la casa de Lucinda.

27
La vida extrema

... ha jugado demasiado al juego de las equivocaciones...

RENÉ CREVEL

Hicieron el amor con todas las torpezas de una primera vez. Ninguno de los dos estaba acostumbrado. Sin embargo, Kramer, el cuerpo de Kramer, no tardó en reconocerse en su reflejo en Lucinda, y el cuerpo de ella en su reflejo en él. Habían cambiado, pero la confianza entre los dos era completa, no había un pasado que ocultar o disimular, cada uno era el pasado del otro.

Lucinda seguía oliendo a Lucinda. Kramer, en cambio, con tres décadas de alcohol y un sueño de tres años a las espaldas, resucitado, olía a hombre nuevo, sin rastro de mujer reciente en la piel. Cuando ella se durmió, él salió y se dejó caer en la reposera del jardín. Al encender un cigarrillo, percibió en sus manos el olor de Lucinda. Una vez, en una época remota, le había dado las gracias por dejarlo en su almohada.

Oyó voces que se acercaban por la vereda. Jaime Rosen y el cura Valdés. Se detuvieron delante de la puerta. Kramer, en calzoncillos, se acercó a la luz escasa del farol de la esquina, que apenas si alcanzaba hasta ahí.

–¿Paseando, señores?

–Estirando las piernas –explicó el sacerdote.

–Yo no necesito tanto ejercicio como este viejo –afirmó Rosen–. Estoy comprobando si cada uno duerme donde debe.

–¿Tengo su aprobación?

–Por supuesto. Está donde debe estar. Pero váyase para adentro, no escandalice a las vecinas.

–Si alguna está mirando, es cosa de ella. No creo que vea mucho con esta iluminación.

–Lo peor es que no vean bien –sostuvo Valdés–, porque imaginan lo que no ven. Usted les parecerá desnudo y yo tendré que aguantar no sé cuántas porquerías en el confesionario.

–Es verdad, padre. Pero no me cuente nada de esas fantasías porque si no voy a tener que confesarme yo. Siga su camino. Yo me iré a dormir. Hasta mañana.

–Hasta mañana –le respondieron a coro.

Kramer encendió una lámpara de la sala que alumbraba medianamente el dormitorio. En la penumbra, estuvo mirando a Lucinda, profundamente dormida y absolutamente desnuda. Ni siquiera se la oía respirar. De pronto, tomó conciencia de que el silencio era excesivo, de que algo se había suspendido en alguna parte. Se acercó a la cama y se aseguró de que Lucinda estaba bien. Después, dio la vuelta a la casa para entrar en la habitación contigua al dormitorio sin abrir la puerta intermedia.

La que había dejado de respirar era Evelia. Muerta en la más completa soledad, lo más probable era que no se hubiese dado cuenta. Kramer le retiró la canalización para el suero, lo único que la había unido a la vida en las últimas semanas. No tuvo que cerrarle los ojos. Le acomodó la mandíbula y le estiró las piernas, que tenía recogidas. A pesar del clima, estaba bastante fría. Llevaba un rato así. Lucinda había ido a verla hacía unas tres horas. Se preguntó si muerte y sexo, muerte y vida extrema, habían coincidido bajo el mismo techo, precisamente el día en que él había emprendido el camino de regreso a la humanidad. Prefirió no responder, aunque era una situación con incontables salidas líricas que podían tranquilizarlo.

En la cocina, preparó café. Después puso un disco. No "Yesterday". Un tango. Julio Sosa. "Por la vuelta". Llevó las tazas y las puso en el suelo, junto a la cama. Despertó a Lucinda con caricias en las piernas. Ella sonrió antes de abrir los ojos. Después se puso seria y los abrió de golpe. Lo miró.

—¿Qué pasa? —quiso saber—. Estás pálido. Como si hubieras visto un muerto.

—Algo así. Una muerta.

Lucinda se incorporó de un salto.

—¿Evelia?

Él afirmó con un gesto. Ella empezó a ponerse los pantalones.

—No te apures —recomendó Kramer—. Ya la desconecté y la preparé yo. ¿Hay que avisarle a alguien?

—Al padre Valdés. —Lucinda se puso la camiseta.

—Voy yo.

—Yo tengo teléfono, él tiene teléfono. No hace falta ir. ¿Qué hora es?

—Las cuatro, pero está despierto. Pasó por la puerta hace un rato, con Rosen.

Lucinda fue a la sala y marcó un número. El cura atendió al segundo tono.

—Padre.

—¿Sí?

—Evelia.

—Voy.

Tardó diez minutos. Vestía vaqueros, alpargatas, una camisa de colores. Nada solemne. Fue a ver el cuerpo de Evelia y se arrodilló a su lado para rezar. La mujer no iría al infierno, él lo sabía mejor que nadie. O ya había pasado por él. En todo caso, no por sus pecados. Lucinda y Kramer lo miraban hacer en silencio.

—Hay que ir a buscar al marido —resolvió, poniéndose de pie—. ¿No me llevaría, doctor? Yo no tengo auto y no sé manejar. Es un tirón hasta la casa.

—Espéreme, voy a buscar el coche —aceptó Kramer.

—Llevate el jeep —propuso Lucinda.

—Bueno, sí, mejor, más práctico.

—Y ponele nafta. Ya sé que la estación de servicio está un poco lejos, pero igual tenés que cruzar el río… Son dos minutos.

28
El marido

A tanta miseria habían quedado reducidas algunas personas...

JOSEPH CONRAD, *Gaspar Ruiz*

Estaban cruzando el puente, a tres kilómetros de la salida de Yacaré Viejo, y empezó a amanecer. Para llenar el tanque, había que ir hacia la derecha. Las casas estaban a la izquierda y bastante más lejos. Torcieron a la derecha.

Ninguno de los dos había hablado durante el recorrido. Mientras esperaban que el empleado de la estación, que los atendió medio dormido, hiciera lo que le habían pedido, Kramer decidió lanzarse con la pregunta que le daba vueltas en la cabeza desde hacía un rato. Aunque no preguntó, afirmó.

—El papa dice que el infierno no existe.

—Ni el cielo. Estoy enterado y estoy de acuerdo —respondió el cura.

—Y entonces, ¿para qué todas las ceremonias que rodean una muerte?

—El alma existe, doctor. No creo que vaya a un lugar de castigo ni a un lugar de gloria, pero a alguna parte va... Ya sé, ya sé que ustedes, los agnósticos, se niegan a aceptarlo...

—Yo no me niego, padre. Me encantaría creerlo, pero no puedo. La falta de fe no se parece en nada a la fe. Es una carencia, no un don. Usted no desea perder la fe, ¿no?

—Claro que no.

—Yo sí deseo perder mi incredulidad. Lo miro actuar a usted y lo respeto. Lo voy a acompañar en todo hasta que esa mujer esté enterrada. Pero lo haré como homenaje a la vida, no a la muerte.

—Yo también, doctor. Lo que nos diferencia es que esa vida, para mí, es eterna.

Volvieron al camino, una ancha huella de barro, y Kramer enfiló hacia las casas, atendiendo a las indicaciones de Valdés.

Las casas no eran casas. Los del pueblo las llamaban así para acallar la mala conciencia que los atormentaba por vivir con lujo. Eran medias casas o simulaciones de casas, en su mayor parte taperas de lata, madera, cartón y tela de bolsa, más o menos como aquellas de las que había salido Segundo, tal vez López, el hombre que no sabía dar la mano, con el cadáver de su padre. Debajo de aquello, parecía haber habido momentos de más ambición porque en varios sitios se veían paredes de ladrillo, una o dos en cada habitáculo, en ningún caso cuatro, y mucho menos un techo de verdad. Eran treinta o cuarenta viviendas, no más, y seguramente ninguno de los pobladores podría explicar cómo había sido en su origen eso de juntarse ahí, en el medio del campo llano y bajo, tan bajo que la creciente tenía que cubrirlo por lo menos una vez al año.

—Hace tiempo —contó Kramer—, cuando Alfonsín era presidente, vi en la televisión un sitio como este. Se había inundado, la gente se había quedado sin nada, y Alfonsín mandó en seguida una carpa grande para meterlos adentro, y unas frazadas, y no sé si maestras o enfermeras que prepararon una gran olla de sopa. Y un periodista se acercó a un tipo que estaba envuelto en una frazada y tomaba sopa y hacía lo que podía con el mendrugo que le habían dado, porque no tenía dientes… El periodista le preguntó si lo trataban bien en la carpa. ¿Y sabe lo que dijo el tipo? Demasiado bien. Eso dijo: demasiado bien. ¿Se da cuenta?

—Me doy cuenta. Lo que usted no sabe es lo que hizo ese hombre cuando bajó el agua.

—Explíquemelo, aunque lo sospecho.

—Agarró cuatro palos y volvió a armarse el ranchito en el mismo sitio. Y un año después, cuando el río subió de nuevo, había reunido algunos bienes, tenía una pava y un calentadorcito de alcohol para el mate, y lo perdió todo otra vez. Como es un modelo de actuación constante, hay quien llama a eso cultura, cultura de la pobreza.

—Ignorancia.

—Pare. Es acá.

Kramer frenó. Un grupo de chicos de todas las edades, sucios y llenos de mocos, rodearon el jeep. Valdés fue sin vacilar hacia una de las viviendas, una de las más degradadas. Kramer fue tras él.

No había puerta. Sólo una tela áspera, que el cura apartó con la mano. Kramer procuró no tocarla ni acercarse demasiado. Era repugnante pero muy adecuada para alojar piojos. El marido de Evelia estaba tendido sobre un colchón en el suelo húmedo, roncando. Se había vomitado encima. Todo olía a mierda. Era probable que también se hubiera cagado. El cura se arrodilló a su lado, le agarró el hombro y lo sacudió.

–¡Anselmo! –le gritó.

El hombre se movió un poco, pero sólo para acomodarse y seguir durmiendo. La mano de Valdés lo perturbaba: una visita del otro mundo que no era bienvenida. Tosió. Ahora sintió que el cura lo aferraba por los dos hombros.

–¡Anselmo! –repitió el sacerdote–. ¡Se tiene que despertar!

Tuvo que insistir mucho para conseguir que el dormido lo mirara sin verlo a través de la capa de vidrio que le cubría los ojos. Y más para que los abriera. Al final, le echó en la cara el agua de una palangana que se había salvado del estropicio, un agua turbia que sólo podía servir para eso. Anselmo preguntó qué pasaba y se apoyó en un codo para incorporarse a medias y ver a Kramer.

–¿Y usted quién es? –se sorprendió.

–Un amigo del padre Valdés –señaló al cura, que había vuelto a ponerse de rodillas junto a él.

–Ah –jadeó el yacente, dejándose caer.

–Tiene que levantarse, Anselmo. Tiene que venir con nosotros. Evelia falleció hace un rato.

A Kramer lo inquietaba ese uso verbal: falleció. ¿Por qué no decir que la mujer había muerto? Fallecer sonaba un punto menos grave que morir. Era un recurso hipócrita. Anselmo le dio la razón sin saberlo.

–¿Quiere decir que se murió? –quiso confirmar.

–Sí. Levántese y venga con nosotros. ¿Tiene ropa limpia?

–No.

–No importa. Yo tengo. En la sacristía. Ahí también se puede bañar. Está hecho un desastre.

Con un esfuerzo sobrehumano, el hombre se las arregló para quedar sentado en el colchón. Valdés y Kramer le tomaron una mano cada uno y lo izaron hasta ponerlo en pie y lo sujetaron por los brazos para llevarlo hasta el jeep con pasos vacilantes. El tipo apestaba. Iba a dejar el coche hecho un asco.

—Espere —pidió Kramer—. Aguántelo un momento usted solo.

Retrocedió. Había visto una toalla inmunda sobre una silla. La trajo y la puso sobre el asiento. Algo salvaría. Ayudó a Valdés a poner a Anselmo encima. No consiguieron gran cosa: se dejó caer de lado y tres segundos después roncaba sin disimulo.

—Mejor —concluyó Kramer—, así no se nos cae por el camino.

Los chicos de los mocos habían desaparecido.

Arrancó con suavidad para que Anselmo no se fuera al suelo. Iba a ser todo un trabajo sacarlo del espacio entre los asientos delanteros y el trasero.

Lo descargaron en la iglesia y lo llevaron a la sacristía a rastras. Consiguieron sentarlo debajo de la ducha, vestido como estaba, y Valdés abrió el agua. Fría. Era un tratamiento despiadado, pero tampoco dio resultado. Le sacaron la camisa, los pantalones, las alpargatas. Al menos, salió bastante limpio y lo tendieron sobre un catre de campaña que el cura tenía ahí para quedarse a dormir alguna noche.

Kramer fue a casa de Lucinda y volvió a la media hora con una jeringa en la mano, llena de quién sabe qué menjunjes.

Valdés lo miró con desconfianza.

—No se asuste, padre. Yo sé resucitar borrachos.

—¿Está seguro de que no lo va a matar?

—Puede ser, no se perdería nada. Pero si esperamos a que duerma la mona, la mujer se pudrirá fuera de la tumba. ¿Tiene calditos?

—Sí, a veces, si tengo hambre por la noche, me hago una sopa.

—Ponga uno en una ollita. Con poca agua. Una taza, que esté fuerte.

El cura hizo lo que se le decía ahí mismo, en un calentador de camping que había sobre un aparador bajito en el que guardaba cubos de caldo y latas de sardinas.

Kramer tenía venas de sobra para meter la aguja, Anselmo estaba cadavérico. Pinchó en la que tenía más cerca, en el dorso de la mano, e inyectó lentamente su pócima milagrosa.

—¿Pensó en el ataúd? —recordó Kramer.

—Hay tres en la piecita del fondo. Me dieron cuatro en la municipalidad de Campo Largo para estos casos. Uno lo usó el comisario para Lustiger.

Anselmo se despertó asustado, se miró, se vio desnudo y se cubrió las vergüenzas con las manos antes de sentarse en el catre.

—Me robaron la ropa, padre —protestó. Y después—: ¿Quién es este tipo?

—Un médico, Anselmo. Y le acaba de poner una inyección porque usted estaba mal.

—¿Estamos en la iglesia?

—Sí. No se acuerda de nada, ¿no? Ni del doctor en su casa ni de lo que le dije…

—No.

—Evelia…

–¿Se murió al final?

–Sí.

–Ah…, bueno, no sufrirá más la pobrecita. ¿La enterraron?

–No –intervino Kramer–, lo esperamos a usted. No valía la pena pero lo esperamos. Y nadie le robó la ropa, se la sacamos porque se había cagado. Vaya al baño y dúchese. Con jabón. Y aféitese, que hay una maquinita. El padre Valdés le dará ropa. Va a ir al entierro de su mujer con nosotros… ¡Ahora, carajo! –ladró al final.

Anselmo fue hacia el baño. En la puerta, se volvió hacia el cura.

–No tengo plata para flores –dijo.

–¡Robalas en los jardines, animal! –le gritó Kramer–. ¡La concha de tu madre! ¿No sentís nada?

–No –respondió Anselmo–. Hace mucho. ¿Para qué?

El ataque de cólera del médico cesó de repente. No tenía respuesta para aquello.

–Cuando salga del baño, dele el caldo –ordenó a Valdés–. Yo me voy a ocupar de llevar el cajón.

Volvió al rato con dos muchachos que, por unos pesos, iban a acarrear el ataúd hasta el jeep y descargarlo en la casa de Lucinda. Entró y salió sin decir una palabra. Anselmo se estaba tomando el caldo.

El calor ya era abrumador. Evelia no aguantaría hasta la mañana siguiente sin descomponerse. Habría que llevarla al cementerio por la tarde. Los muchachos ayudaron en todo: a poner a la finada en la caja y a subirla con caja y todo a la camilla que ya se había empleado para el alemán, con ruedas para poder moverla después.

Como en el caso de Lustiger, o Heisenberg, que ya no importaba cómo se hubiera llamado, la gente del pueblo empezó a llevar flores, a lo mejor con la intención de compensar las que el marido no podía comprar y las que los hijos ni siquiera se habían propuesto enviar. Quién sabe por dónde andarían, si andaban por alguna parte y no se habían extinguido en soledad como la madre.

Anselmo llegó, miró a la que había sido su mujer y se sentó en el suelo, en un rincón, a esperar el momento de salir.

Don Jaime Rosen se acercó a Evelia, le pasó una mano por el pelo, le apretó el hombro a Anselmo y se fue a ver a Lucinda y a Kramer, que estaban en la cocina.

—Mala muerte —observó el viejo.

—Peor vida —afirmó Kramer—. La muerte fue dulce, no se enteró. Pero se enteró de todos los días pasados sobre la tierra. ¿Vio al marido?

—Sí. ¿Tiene algo para los piojos?

—Vinagre —resolvió Lucinda.

—¿Por qué? —preguntó Kramer.

—Usted y el padre Valdés tendrían que lavarse la cabeza con vinagre. El hombre está lleno, acabo de verlo.

—A mí me había parecido, pero no tengo tan buena vista. A lo mejor es un buen momento para raparse. Para cuatro pelos que me quedan… puede que crezcan con más fuerza.

—Si quiere, yo se lo hago. Tengo una máquina del cero.

—Sí, dale, te va a quedar bien —se entusiasmó Lucinda.

—¿Y por qué no se pela usted, don Jaime? —invitó Kramer—. Esa coleta que lleva no lo favorece, se quitaría años de encima. Usted me lo hace a mí y yo a usted.

–No, no, a mí no me hace falta, no me junto con pio-josos.

–Yo les corto el pelo a los dos –propuso Lucinda–. A vos te pelo y a don Jaime se lo arreglo.

Rosen se fue a buscar la máquina y volvió con el cura.

–Tenés tres clientes –le anunció a Lucinda.

Al atardecer cargaron el ataúd de Evelia en el jeep para llevarlo al cementerio. Ni a Kramer ni a Valdés les quedaba un solo cabello. Rosen, que hasta se había recortado la barba, era la prueba de que el médico había tenido razón: parecía mucho más joven. Bruno fue con el otro coche y se repartieron en los asientos para ir todos al entierro. El marido fue con Kramer, así no contagiaba a nadie.

Valdés se ocupó del responso. Kramer se quedó pensando en lo que el cura decía de "nuestra hermana Evelia". ¿Herma-na? Tal vez. En otro mundo. O en el otro mundo.

29
A Buenos Aires

Mi silbido de pobre penetrará en los sueños de los hombres que duermen.

J. L. Borges, "Elegía de los portones"

En la mañana del 31, Kramer habló con Lucinda.

–Salí de Buenos Aires siendo médico y en el camino me convertí en enterrador –le dijo–. Un muerto más y me vuelvo loco. El de Segundo, el alemán, esa mujer. ¿La mortalidad es más alta en las provincias o es una impresión mía?

–Es más alta. Realidad estadística –le respondió ella.

–La estadística somos nosotros, se hace contándonos. Yo prefiero vivir en lugares donde nos sea más favorable. ¿Te venís conmigo?

–No. Todavía no. Cuando me manden un reemplazante. No voy a dejar el pueblo sin médico. Puede tardar. Pero después me voy a reunir con vos.

–Bueno. Te propongo un plan.

–Dale. A ver si me gusta.

–Voy a comprar un departamento para los dos en Buenos Aires. Grande. Quiero tener libros, discos, ropa. Y cuando vos vengas, lo armamos y después nos vamos de viaje. Necesito conocer Berlín. ¿Vos estuviste?

—No, desde Londres sólo fui a París y a Madrid. ¿Por qué necesitás ir a Berlín?

—Por lo mismo que necesito conocer Jerusalén.

—Entiendo. Querés un periplo judío. Me gusta.

—Por los lugares de la vida y de la muerte.

—Sí, sí, vamos juntos.

Y juntos fueron por la noche a la casa de Rosen.

30
Encuentros

Las he pasado negras, muy negras, pero salí adelante.

KIPLING, *Una luz que se apaga*

Ya avanzada la noche, entrado el nuevo año, apareció Elías Traúm en la fiesta que se celebraba en la casa de Rosen.

Federico y su padre lo recibieron con abrazos y lo presentaron a los demás. Hombre educado, les fue dando la mano a todos. Al final llegó a Kramer, que lo había estado observando desde el momento en que entró.

A Traúm le costó descifrar los rasgos del médico, ocultos bajo la calva y los años. Pero la sonrisa confianzuda de Kramer lo obligó: aquélla era una cara amiga.

–¿Sos el alemán Kramer? –arriesgó por fin.

–El mismo.

Traúm le pasó el brazo por los hombros y lo mostró a los presentes como un trofeo.

–Señoras y señores –anunció–, acabo de encontrarme con el hombre que más pibes circuncidó en mi barrio. Un barrio de judíos con conciencia científica, que hacían esas cosas con médico.

Después se volvió hacia él y se olvidó del público.

—¿Qué hacés acá?

—Vine a buscar novia.

—¿De verdad? ¿No te casaste a una edad normal?

—No, ¿y vos?

—Yo sí, en Israel. Vivo allá.

—¿Y viniste sólo para conocer Yacaré Viejo?

—Sólo estoy de paso, vine a buscar a Federico Rosen, los dos vamos a Brasil y desde ahí yo vuelvo a Tel Aviv. Estuve en Resistencia, visitando a unos parientes.

—Yo voy a ir a Israel este año.

—Llamame cuando vayas —sacó una tarjeta de una empresa y escribió su nombre en ella—. Es el número de mi oficina, estoy siempre.

—Me parece que Federico no vuelve a Brasil solo.

—¿Encontró novia él también? ¡Este pueblo es una maravilla!

—Una linda piba encontró. Vení, que te la presento y de paso conocés a Lucinda.

—¿Lucinda? ¿Tu prima? No la tengo que conocer, la conozco. Vos no te acordás de nada, alemán, estás viejo, pero salimos muchas veces juntos en los viejos tiempos. Cuando yo andaba con Rosa, la sobrina de Kreplach…

—Tenés razón… —se admiró Kramer—. ¿Qué sabés de ella?

—Desaparecida.

Kramer tomó a Traúm por el codo y lo guio hasta donde Lucinda y Marina conversaban y tomaban sidra.

Traúm se paró delante de ella y la miró con atención.

—Seguís linda —decretó al final.

Lucinda se puso de pie y le dio un abrazo. Marina, comprendiendo quién era el hombre, la imitó.

—Me imagino que sos la novia de Federico.

—O algo así de Federico. Vos debés de ser Elías. —Sabía que era él.

—Me dijo Enrique que te venís con nosotros.

—¿Enrique? Ah, Kramer. Sí, me voy con ustedes. Si me querés llevar.

—Claro. Hay sitio en el coche.

—¿Cuándo salimos?

—Mañana o pasado. Tengo tiempo.

—¿Y vos? —le preguntó Lucinda a Kramer.

—Dentro de unos días, antes de que se muera alguien más.

El destino de cada uno estaba trazado, al menos en ese tramo.

Traúm se llevó a la pareja el 2 de enero.

Kramer y Bruno se fueron el día de Reyes. Cecilia viajó con ellos.

Lucinda se quedó a esperar a su sustituto. Valdés no se iría nunca. Don Jaime Rosen visitaría a su hijo en abril o mayo.

CUARTA PARTE
Por la vuelta

31
El escritor secreto

Mis libros son más inteligentes que yo.
CLAUDIO MAGRIS

Aunque Kramer tuviera la sensación de haber vivido toda una vida en período tan breve, sólo habían pasado dos meses desde el día en que él y Bruno Rotta entraran en el edificio abandonado en el que una vez había visitado a un hombre leal, para recuperar un dinero y unos documentos que bien podrían no haber estado ahí. Ahora, Kramer no había recorrido los techos para entrar: no quería volver a la habitación de los libros, sino conocer a su ocupante circunstancial. La puerta seguía igual que la primera vez, cerrada con cadena y candado. Nada parecía cambiado, aunque la plena luz del sol revelara en la construcción un deterioro mayor que el que se percibía al atardecer.

El café de enfrente era incómodo: el calor era agobiante y no había aire acondicionado, la cerveza no estaba lo bastante fría y el sudor le empañaba los anteojos. De todos modos, no había un lugar mejor ni con una vista más despejada de aquella entrada. Y sin los anteojos no alcanzaba a precisar detalles, pero era capaz de darse cuenta de la presencia de alguien a menos de veinte metros.

La espera, para la que, en su momento, ni Bruno ni él habían tenido paciencia, duró esta vez cuatro días. Kramer se habituó a un régimen de sándwiches de miga y medialunas. Y al final, apareció alguien. Por la mañana, muy temprano, apenas pasadas las siete. El hombre no entraba en la casa, salía de ella. Una vez afuera, pasó la cadena, reunió dos eslabones con el candado y lo cerró. Esa operación dio tiempo a Kramer para cruzar la calle y llegar hasta él. Esperó a que se volviera para mirarlo de frente. Era joven, de no más de treinta años, rubio, muy delgado e inesperadamente elegante. Estaba claro que no había dormido ahí, donde no hubiera podido ducharse ni afeitarse. Debía de haber llegado poco antes. Llevaba una cartera grande, probablemente llena de papeles.

—Disculpe —empezó Kramer, que, a pesar de las numerosas ocasiones en que se había representado aquel encuentro, no sabía por dónde empezar.

—¿Sí? —se sorprendió el otro.

—¿Podría hablar con usted? Lo estaba esperando en el café —señaló—. Podríamos sentarnos y tomar algo, si no está muy apurado…

—¿Nos conocemos?

—No todavía, pero tengo que contarle una historia. ¿Esta casa es suya?

—Sí. ¿Por qué? ¿Quiere comprarla?

—No, y no le recomendaría venderla en este momento. Yo tenía un amigo que vivía acá hace más o menos veinticinco años. Un hombre mayor, griego.

—¿Antoniadis?

—Sí. ¿Lo conoce? ¿Vive?

—Lo conocí bien y no vive. Era mi abuelo. Vamos a ese bar.

Antes de sentarse a la mesa de Kramer, le tendió la mano y se presentó.

—Anastasio Antoniadis —dijo—. Tasio.

—Enrique Kramer —aceptó la mano tendida y la estrechó. Después miró al mozo que esperaba el pedido—: Café con leche, por favor…

—¿Kramer, dijo?

Dejó la cartera en una silla y la arrimó a la mesa.

—Sí.

—¿El médico de mi abuelo?

El muchacho se sentó.

—Exactamente. Tiene buena memoria.

—Nada especial, es que él hablaba mucho de usted. Decía que lo habían desaparecido, pero poco antes de morir me dijo que si volvía, porque en esos asuntos nunca se sabe, yo tenía que dejarlo entrar en la casa, que él tenía algo suyo guardado. ¿Sabe qué era?

—Claro que lo sé. Yo tenía un poco de plata y un pasaporte. Eran tiempos muy difíciles y yo pensaba que era probable que no me quedara más remedio que subirme a un avión y mandarme a mudar. Él se ofreció para cuidarme esas cosas. Su abuelo era muy valiente.

—¿Y sabe en qué parte de la casa están?

—Permítame confesarle una cosa y no se ofenda, no tuve intención de joder a nadie.

—Diga en seguida lo que tenga que decir, que me está asustando.

—Yo ya estuve en la casa. Hace más de un mes.

—Medio mundo estuvo en la casa. Puse la cadena para que no me la ocuparan pero no sirvió para nada. A veces vengo y me doy cuenta de que alguien pasó la noche ahí. Me imagino que entran por los techos.

—Yo entré así, desde la galería de la otra esquina.

—¿Encontró lo suyo?

—Sí. Estaba donde él lo había dejado, dentro del palomar.

—¿Y entonces? ¿Para qué vino ahora?

—Primero, para ver si me enteraba de qué había pasado con Antoniadis.

—Ya se enteró: está muerto. Se murió hace diez años, de viejo, tenía más de noventa, y de pena por el fallecimiento de mi padre, que era su único hijo. ¿Y segundo?

—Cuando vine, me acompañó un amigo. Recorrimos parte del edificio, por curiosidad, y encontramos una colección de novelas y unos cuadernos manuscritos. Todo policial. No pudimos evitar leer una parte de los cuadernos. Después pensé mucho en eso. Estuvimos esperando aquí, en este mismo lugar, pero teníamos que viajar y no volvimos hasta hace unos días. La idea era conocer a la persona que había escrito aquello. ¿Es usted?

—No. Era mi padre. Ya me llevé todo eso. Una amiga está pasando en limpio los cuadernos. Ella dice que son buenos relatos y se los va a llevar a un editor. ¿A usted le gustaron?

—Sólo leí un fragmento, pero me pareció bastante impresionante. La mía no es una opinión que importe. La del amigo que me acompañaba, sí. Es un adicto a las novelas policiales. Los muertos no existen, ese era el título de lo que leímos. Era lo que estaba escrito en la tapa.

—Sí, es el título. El de las hijas que matan al padre. Es una historia verdadera, que ocurrió. Las hermanas López. No las mandaron a la cárcel, sino al manicomio. Me parece que una ya está suelta. Él siempre escribía sobre crímenes auténticos, pero de una manera muy personal, dando vuelta lo que decía la policía. Decía que la justicia es lo único que realmente importa y que la literatura sirve para poner justicia donde no la hay. No castigando a los malos y premiando a los buenos, sino contando la verdad. Era completamente agnóstico, pero durante toda su vida leyó la Biblia, los dos testamentos, y repetía que es la verdad lo que nos hace libres. Cuando conseguimos llegar a ella. Lo cual no ocurre casi nunca.

—Tipo interesante, su padre.

—Sí, mucho. Un poco pesado para un hijo, genial para los demás. Mi abuelo fue el que llevó toda la carga. Él nunca trabajó mucho. Era abogado, y bastante bueno, pero no defendía delincuentes confesos. De eso no me puedo quejar, yo también soy abogado y me pasa lo mismo que a él. La casa, que es lo único que quedó, la compró el viejo y se la dejó. Él tenía un gran proyecto, pensaba convertir el edificio en hotel, pero el infarto llegó antes. Ya se había gastado todo en desalojar a los inquilinos. Vivía mucha gente ahí, y los indemnizó con generosidad. Creo que le daba vergüenza hacerlo. Yo voy a tener que hacer algunos arreglos y usarla, porque, como están las cosas, no hay quien compre nada.

—¿Tan desesperada es la situación?

—Me quedé en pelotas. Tenía toda la plata en un banco. Cincuenta mil dólares, que serán cincuenta mil pesos cuando me los den, dentro de uno o dos años, si las demandas son aceptadas. No llego a pagar el alquiler, ni el colegio de los chicos, ni la pensión de mi ex mujer. Y no hay manera de conseguir préstamos, esos hijos de puta siguen sin levantar la persiana. Si voy a un usurero, al final voy a perder el edificio, que es lo único que me queda.

—¿Cuánto necesita?

—No sé, una barbaridad de guita. Tengo que cubrir por lo menos un año. Antes no me va a entrar un mango. Nadie tiene, nadie paga. Hay que trabajar a crédito.

—Siempre se trabaja a crédito. Hasta el basurero le adelanta trabajo a la municipalidad. ¿Cuánto necesita?

—Mucho, mucho. Una lotería.

—¿Cuánto?

—¿Por qué insiste? ¿Me lo va a dar?

—A lo mejor. Depende de cuánto sea. De lo que me guardó su abuelo.

—¿De verdad?

—De verdad.

—Bueno, genio de la lámpara, me hacen falta cinco mil dólares.

—Ya los tiene. Me dice dónde y se los doy hoy. Dentro de un rato, si quiere. Es la mitad de lo que me llevé de su propiedad. Y no tiene por qué devolvérmelos. Se los debe al viejo, que los cuidó durante veinticinco años. Tómelo como una herencia. La de ese tío olvidado que murió sin testar en Sudáfrica y le dejó una mina de diamantes. Hay gente que tiene un tío así...

—No me lo está diciendo en serio, no joda, con cosas así no se juega...

—Completamente en serio. Pero le voy a pedir un favor a cambio.

—Usted dirá, pero le aviso que a mí me gustan las minas y es lo único en lo que no estoy dispuesto a transar.

—Tiene suerte, a mí también me gustan las minas. Pero no sea tan orgulloso. La guita no es más que guita y un culo no es más que un culo. De todas maneras, usted es un lindo muchacho, y no se ofenda, pero culos de cinco mil dólares sólo hay en Hollywood. De los más cotizados. Le voy a dar esa plata para que no tenga que alquilar el suyo por cincuenta pesos. Y lo que yo quiero es más valioso.

—Está bien, tiene razón. A esta altura del partido, el gato más lindo de la noche de Buenos Aires se deja por lo que uno lleve en el bolsillo. O por la mitad, así le queda para el taxi. Dígame qué puedo ofrecerle.

—Quiero leer las novelas de su padre. Puedo ayudar a su amiga a pasarlas a la computadora.

—¿Sólo eso?

—Para mí, es bastante.

—De acuerdo.

Apuntó un nombre y un número de teléfono en una servilletita del bar y se la dio a Kramer. La mujer se llamaba Caterina.

—¿Griega? —preguntó el médico.

—Hija de griegos. Fue amante de mi padre. Y le voy a decir una cosa que un hijo no debería decir: lo quiso más que mi madre y lo hizo más feliz.

—Los hijos no dicen esas cosas, Antoniadis, pero deberían. Hasta que no reconocemos quiénes fueron realmente nuestros padres, no podemos empezar a averiguar quiénes somos nosotros. ¿Tiene mucho que hacer esta mañana?

—Tengo que ir a Tribunales a las doce.

—Entonces, quédese acá. Voy y vuelvo en un taxi, y le traigo la plata. Una hora.

—De acuerdo, pero deje pagado lo que tomamos. Por si no vuelve. Así, al menos, no voy en cana.

Kramer sacó dinero del bolsillo y lo puso sobre la mesa.

—Pague usted —dijo—, y deje propina.

Tardó menos de una hora. Antes de sentarse, puso un sobre grande y rústico encima de la mesa.

—Dos JB —pidió al mozo.

Se acomodó delante de Antoniadis.

—Vamos a brindar —anunció—, pero antes quiero decirle algo que vine pensando por el camino: nadie tiene un tío en Sudáfrica. Ese tío es un invento de los servicios de inteligencia. Deben tener una división dedicada a la felicidad, o al consuelo, o a la ilusión, donde se producen esas historias para que la gente conserve la esperanza. Las meten en los teletipos o en los faxes o en las computadoras y las mandan a los diarios para que rellenen. Hace cien años las colaban en las novelas. Y las repitieron tanto que ahora forman parte de la realidad, tienen toda la pinta de ser verdaderas, pero no lo son.

—Usted apareció así, de repente, con la mina de diamantes.

El mozo sirvió el whisky en vasos largos, con hielo.

—Pero no soy un tío olvidado y no estoy muerto. Y esa plata no me la trabajé yo, sino su abuelo. Es la prueba de que yo no era un tipo muy seguro ni muy capaz de tomar decisiones, y de que su abuelo tenía un par de pelotas.

Kramer levantó su vaso.

—Tasio. Por su abuelo.

Antoniadis sonrió. Si a las siete de la mañana parecía joven, ahora tenía un aspecto francamente adolescente. El alcohol y el dinero le habían devuelto color a su rostro y se sentía tan bien que ni siquiera sudaba. Kramer pasó al tuteo.

—¿Qué edad tenés, Tasio?

—Parezco menos, pero tengo 35.

—Te casaste muy joven.

—Y me divorcié muy joven.

—¿Cuántos hijos?

—Dos. Si fuera ahora, no hubiera querido. ¿Para qué traer a nadie más a este mundo de mierda? Por si acaso, me voy a hacer la vasectomía.

—Ni se te ocurra —advirtió Kramer.

—¿Por qué?

—Primero, porque los médicos te la venden como inocua pero no lo es. Trae trastornos hormonales, vas a engordar sin saber por qué y tu vida sexual va a ser más corta. Y segundo, porque cuando menos lo esperes te vas a enamorar.

—¿Y?

—Nada, que te vas a volver loco por embarazar a esa mujer, justamente esa y ninguna otra, y no vas a poder y todo se va a pudrir.

—¿A vos te pasó?

—Sí.

—¿Y tuviste hijos con ella?

—Ella eligió no tener hijos conmigo ni con nadie, sólo que entonces yo no lo sabía y me sentí muy jodido, creía que era un problema mío. En fin, uno se pasa la vida perdiendo posibilidades… Y es cierto que este es un mundo de mierda, pero el de antes no era mejor y la humanidad no renunció. Además, el padre sos vos, y vos no sos un tipo de mierda para ellos, y si no te asesinan o no vivís sentado encima de una fuente nuclear sin enterarte, los vas a acompañar durante un tiempo largo y les vas a enseñar a defenderse.

—Sí, eso es cierto.

—Claro que es cierto… ¿Vos no tenías que ir a Tribunales? Mejor que antes pases por tu casa y guardes bien lo que te acabo de dar —señaló el sobre.

Tasio lo tocó, asegurándose de que estaba lleno.

—Abrilo y mirá —propuso Kramer.

—No, está bien.

Tomó el sobre y abrió la cartera para meterlo en ella. Entonces vio algo de lo que no se había acordado hasta ese momento.

—Te voy a hacer un regalo —dijo.

—Y yo lo voy a aceptar, así que no hay problema.

Había puesto el dinero en la cartera y sacó algo de ella sin mostrárselo a Kramer.

—Mirá, lo que vos encontraste ya no está, me lo llevé todo, los cuadernos y la biblioteca. Quedaba un solo libro y lo saqué esta mañana. Es tuyo —lo puso sobre la mesa y lo empujó hacia el médico.

Era el ejemplar de *El largo adiós* en el que Bruno había leído un párrafo revelador sobre la imposible búsqueda del amor, sobre la fantasía perversa del enamoramiento.

—Te lo agradezco mucho. Es una novela muy importante para mí.

—Me alegro.

—Anotame tu número de teléfono ahí, en la última página —pidió Kramer.

Tasio lo hizo. Después abrió en la letra k una libretita que llevaba en el bolsillo y se la pasó a Kramer, que apuntó el suyo.

—Si conocés a alguien que venda un departamento grande, avisame. Me voy a casar —anunció el médico.

—Algunos desesperados pasan por mi oficina.

Se despidieron con un apretón de manos.

32
Con flores a Cecilia

Así empezó la nueva época.
Lawrence Durrell, *Mountolive*

Kramer caminó por Corrientes hacia el bajo. Antes de llegar a Callao, encontró una librería de viejo. Revisó la estantería. En la parte alta descubrió los tomos de la *Anatomía* de Testut, topográfica y descriptiva, idénticos a los que había empleado en su primer curso en la facultad. Se los señaló al librero.

—¿Cuánto cuestan?

—Cien pesos —respondió el hombre sin vacilar.

—Bájelos. Me los llevo.

Revolvió en las mesas. Había novelas policiales de serie negra, edición de Tiempo Contemporáneo. No conocía a los autores. Las hojeó. Se quedó con *Un gato del pantano*, de David Goodis, y *¿Acaso no matan a los caballos?*, de Horace McCoy. También compró el *1984* de Orwell.

—Le pago todo esto y me lo guarda un rato —le dijo al librero.

—Ciento tres. Deme cien, está bien.

Fue hasta la esquina de Callao y compró una docena de claveles.

Llamó desde el celular a Bruno.

—Esperame en el café de la esquina dentro de veinte minutos —ordenó.

Regresó a la librería y paró un taxi. Pasaban de a cientos, en una larga fila, sin pasajeros. El librero lo ayudó a llevar el enorme tratado de anatomía. Los demás taxistas protestaron. No iban a ninguna parte, pero el que se había detenido les estorbaba el paso.

En el bar, puso las flores sobre la mesa, delante de Bruno.

—Las compré para Cecilia. Se las vas a dar vos.

—Bueno —aceptó Bruno.

—No, bueno no. La estás tratando para el carajo a la piba. Como si fuera de vidrio. Y no se merece eso. Necesita un poco de cariño. Sólo nos tiene a nosotros. Está buscando trabajo como una desesperada. Si no lo encuentra, en cuanto compre el departamento me la llevo, no quiero que sea una carga para vos, ya sé que te la impuse yo. Pero mientras esté, tratala bien, por favor.

—Si le doy la mano, me agarra el brazo. Es linda, pero a mí no me gusta. Si ahora le doy las flores, a lo mejor esta noche me la encuentro en la cama.

—¿Y por qué no? ¿Cuánto hace que no cogés?

—Eso es cosa mía.

—Una vez me preguntaste, no hace tanto, y yo te contesté. Me dijiste que para eso estaban los amigos, para escuchar las miserias del otro.

—Tenés razón. Entonces te lo digo. Hace más de un año. Andaba con una mina. Casada. La verdad es que era una maravilla. Nunca hicimos planes, pero tampoco esperaba que le diera un ataque de culpa y decidiera no verme más. Yo sé que los amantes están para salvar matrimonios, que mientras uno pone lo que falta, se mantiene el equilibrio y nada más. Sos una pieza en un rompecabezas ajeno. Pero yo me sentía bien, llegué a convencerme de que era el hombre que ella necesitaba. No esperaba que Susana, se llamaba Susana, cortara de la noche a la mañana. Eso me produjo mucha inseguridad. No es que yo haya sido un tipo sin vacilaciones, al contrario, siempre tuve dudas sobre mis propias virtudes, nunca les creí a las minas que me decían que era un fenómeno, sabía que mentían. A Susana, en cambio, le creí. Y entonces, cuando se piantó, se me vino abajo todo eso. Y la pija. Lo intenté después con otras dos y no se me paró. Se me para cuando estoy solo, pero llego a la cama y no me hace caso… Así que prefiero no coger.

—La ansiedad es la madre de todos los fracasos, me dijo alguien una vez. Y más en la cama. Cuanto más ansioso estés, menos posibilidades tenés de que te haga caso. No hay que pedirle nada, ella actúa sola si no estás tenso. Dedicate a acariciar, a besar, a mirar, no es una obligación tenerla dura. Si querés, te doy unas pastillas que te van a ayudar. Un ansiolítico suave. Sólo para la primera vez, después todo va a volver a funcionar bien.

—¿Estás seguro?

—Completamente.

—Kramer.

—Decime, Bruno.

—Con putas sí.

—Claro, porque no sentís necesidad de demostrar nada. Me das la razón.

—Fui una sola vez y no quise volver. Esto sí que no se lo conté a nadie, y sólo te lo contaría a vos.

—No te preocupes, soy médico, sé guardar secretos. Pero tenés que coger. Un tipo que no coge es un tipo que no seduce, y un tipo que no seduce pierde carácter, pierde definición, acaba por borrarse, por no tener cara, por no estar en el recuerdo de nadie.

—Cecilia decía que le pasaba eso en el pueblo, que no la veían.

—No es el mismo caso. A ella todavía no la habían visto. A vos puede que ya no te vean. A ella le sobra voluntad de seducción, lo que pasa es que no tenía a quién seducir. Vos, es como que perdiste las ganas. De seducir, digo, de convertirte en el recuerdo de alguien.

—¿Sabés qué pasa, Kramer? Vos me das consejos, yo te doy consejos, y al final no sirve para nada porque no hacemos nada. Vos tuviste suerte al encontrar a Lucinda, pero el viaje para ir a verla fue lo único interesante, lo único social que hicimos en mucho tiempo. No conocemos a nadie, no nos movemos. Cecilia está en casa pero es como una hermana, no es para mí. No voy a bailar, al cine voy con vos. Yo tampoco tengo a quien seducir. Si no tuviera guita, tendría que ir a laburar. En el trabajo se conoce gente.

—Cogiendo también, y se la conoce mejor. Pero tenés razón, esto no es vida. Y cuando venga Lucinda y nos vayamos a vivir juntos, te vas a quedar todavía más solo. No sé si ella tiene amigas acá, pero serán de su edad, a lo mejor no te llaman la atención.

—¿Vos te crees que a mí me importa la edad de una mina?

—No lo sé. Lo que a uno le importe no es algo que se decida, es lo que el cuerpo le reclama, las hormonas, esas cosas mágicas que prescinden del cerebro o lo doblegan. De paso, hoy conocí a alguien.

—¿Hombre o mujer?

—Hombre, pero viene con una mujer detrás.

—Contame.

—Volví a la casa del palomar. Hace varios días que hago guardia. Al final se presentó alguien.

—¿El escritor?

—El hijo del escritor, que a su vez era el hijo del griego que me cuidó la guita. O sea, el nieto del griego, un muchacho que se llama Anastasio Antoniadis. Desesperado, el tipo, con problemas de todos los colores. Lo ayudé un poco. Le di la mitad de los diez mil.

—¿Le compraste los cuadernos?

—No. Los cuadernos los tiene una mujer que fue amante del padre. Los está pasando en limpio y piensa publicarlos. La vamos a ayudar, así los leemos. Tasio me dio el teléfono. La llamás vos, que sabés más que yo de esas cosas, y la vas a ver. ¿Me ayudás a llevar los libros? Vos, dos tomos del Testut y las flores. Yo el resto.

Cecilia salió a la puerta y cargó con un par de libros.

Las flores de Bruno la emocionaron hasta las lágrimas. Era la primera vez que alguien le hacía un regalo así.

33
La griega

Dondequiera que viaje, Grecia me hiere.

YORGOS SEFERIS, *Cuaderno de estudio*

Caterina Savidis era una mujer morena, lozana, mucho más joven de lo que Bruno había supuesto, de cuerpo generoso, más alta que él y con una sonrisa que cambiaba el mundo: estaba tan viva que parecía imposible que alguna vez fuera a morir. Le tendió a Bruno una mano larga, cuidada, de uñas rojas, y lo hizo pasar. El departamento en el que vivía era como ella: grande, de ventanas abiertas, discretamente perfumado, modesto y elegante. Sin alfombras, salvo una pequeña bajo el taburete de un piano vertical arrimado a la pared más larga de la sala, entre dos estanterías con libros y partituras.

Sirvió café, whisky con hielo, agua fría, y después entró en materia.

—Le interesan los libros de Jorge Antoniadis —quiso confirmar.

—Sí. No sé de qué modo podría ayudarla con ellos. Para ganarme el derecho a compartirlos, nada más.

—¿Por qué?

—Los descubrí por casualidad, invadiendo una propiedad ajena. Leí unas páginas y hubiera querido seguir, pero no podía. Tampoco podía llevármelos, no eran míos, aunque le confieso que lo pensé.

—Su amigo fue más constante que usted. Esperó a Tasio durante mucho tiempo.

—Sí, él encontró más que yo en esa casa. Creo que encontró la llave de la lectura, algo de lo que había estado muy alejado.

—¿Y usted?

—Yo no la perdí nunca. Los libros que Antoniadis leía eran los que yo había leído y seguía leyendo. Pero a Kramer lo conmovió.

—Jorge no era un gran lector —aclaró Caterina—, sólo le llamaban la atención las novelas policiales y de espías.

—Su alimento legítimo.

—No, se alimentaba de los archivos de los juzgados, las novelas le parecían poco. Los casos reales, decía, son mucho más fuertes, más secretos y más espantosos. Pero le diré la verdad: tampoco era un gran escritor.

—¿Y entonces? ¿Por qué hace esto, copiarlos, buscarles editor?

—Mire, señor Rotta, yo quise mucho a Jorge Antoniadis. Fui su amante desde mis quince años. Él tenía cuarenta. Pasamos una década de felicidad total. Era mi amante y mi padre. Me hizo estudiar, me licencié en letras, aprendí a tocar el piano, me llevó a París… Yo soy yo, pero en parte soy obra de él. Jorge no había escrito esos libros, esas novelas, como un divertimento. Eran su testimonio, lo que quedaba de cuanto había visto, y había visto mucho. No tenía una teoría, no había deducido ninguna ley histórica de aquello, pero estaba convencido de que a alguien con más alcance que él, le serviría. El mundo es demasiado oscuro para mí, decía, pero otros verán lo que yo sólo palpo o huelo.

—Tipo fascinante.

—Los hombres inteligentes siempre son fascinantes, si no son soberbios. ¿Usted a qué se dedica, señor Rotta?

—Llámeme Bruno, por favor, y si no le resulta demasiado difícil, tráteme de vos. Estoy retirado. Fui empleado en una empresa. Fui músico.

—Nunca se deja de ser músico, me parece, como nunca se deja de ser nada que suponga un don. ¿Qué instrumento?

—Violín. Aunque también toco dignamente la guitarra y el piano.

—Cuerdas. ¿Qué preferís en el piano?

—Bach. En violín, todo me parece perfecto. ¿Y a vos?

—Coincido en Bach para el piano. En realidad, Bach siempre. Un amigo mío dice que en la fuga están la naturaleza y la historia completas, que es el relato de todos los procesos, de todas las muertes y todos los renacimientos.

—No se equivoca. ¿Tocás a menudo? —Bruno señaló el piano.

—Bastante. No quiero perder lo poco que sé. ¿Y vos?

—No toco casi nunca.

—Tendrías que hacerlo.

—¿Para qué? Nunca conseguí ser un profesional, no tuve valor para dejar todo lo demás: no estaba seguro de que pasar hambre me compensara más tarde, así que nunca paré de trabajar.

—No creías en vos. No sos el único. Nos pasa a muchos. Jorge creía en mí, y por eso llegué a hacer lo que te conté. Pero ahora no tengo demasiados estímulos, nadie que crea en mí y me empuje.

—¿No salís con nadie? Diez años son mucho tiempo de soledad para una mujer joven.

Caterina se rió sin disimulo.

—¡Claro que salgo! Pero no con alguien, sino con álguienes. Hombres. No podría vivir sin ellos, pero ninguno es realmente importante. No son amores, son amigos, amantes circunstanciales. Únicamente para el cuerpo. ¿Y vos?

—No, ahora no. Con nadie. Hace mucho.

—Quiere decir que la última te dolió mucho.

—Me dejó mal —reconoció Bruno, sin entrar en detalles.

—No hace falta que me cuentes.

Caterina miró el reloj.

—Si tenés que hacer, vuelvo en otro momento —propuso Bruno.

—No, miraba la hora porque, si te vas a quedar a cenar, tendría que ir a comprar algo. Ni siquiera tengo vino.

—No compres nada. Si podés cenar conmigo, vamos a un restaurante.

—Es muy caro.

—Te invito. No pasa nada. Estoy bien de plata.

—Bueno, entonces me voy a duchar.

Caterina desapareció en lo que parecía ser el dormitorio y Bruno se sentó al piano. No confiaba en la ligereza de sus dedos, pero lo intentó con la "Milonga triste" de Piana y Manzi, y no le salió mal. Caterina, desde otra parte de la casa, lo siguió por momentos con la letra: "Llegabas por el sendero, delantal y trenzas sueltas. Brillaban tus ojos negros, claridad de luna llena". Y el final: "Volví por caminos muertos, volví sin poder llegar. Grité con tu nombre bueno, lloré sin saber llorar". Tenía una voz redonda y suave, de contralto, que no se dejaba tentar por ninguna estridencia de las que son tan frecuentes en las cantantes de pretensión arrabalera. Tengo que comprarme un piano, pensó Bruno. Necesito oírla cantar en casa, pensó en seguida, atacando un tango.

—Nos acompañamos bien —dijo Caterina al regresar, ya vestida para salir, con pantalones y camisa blancos, y el pelo todavía húmedo.

—Parece que sí.

—Cuando volvamos, te doy los primeros cuadernos de Jorge, los que ya pasé en limpio. Así tenés excusa para venir a visitarme.

—No hacen falta excusas. Vengo si los dos queremos.

Por la noche, después de comer en un restaurante de la costa, Caterina no le dio los cuadernos. Bruno se quedó con ella.

Lo despertó el olor a café. Se metió en la ducha. Lamentó no poder afeitarse. Por ella.

Fue a la cocina desnudo. Ella se había cubierto con un camisón corto de tela leve, pero parecía más desnuda que él.

Se besaron.

—Los amigos, los amantes circunstanciales… ¿En qué categoría estoy? —ansió saber Bruno.

—No sé. Mejor lo averiguamos con un poco de tiempo. En gran parte, depende de vos. Pero me gustás, me gustás mucho.

—Vos a mí también. Por eso pregunto.

—Creo que si me querés, yo te voy a querer. Todo esto es muy bueno. Que estés en casa. Con otro, hubiera elegido ir a un hotel, venir y despertarme sola.

Volvieron a besarse. Antes de retornar al dormitorio, Caterina tuvo el tino de apagar el gas. Después, calentaron el café.

A Bruno le costaba creer lo que le estaba pasando. Y sin la pastillita de Kramer.

—Mañana es lunes –anunció ella mientras desayunaban– y tengo que dar clase a la mañana. Pero hoy podrías quedarte conmigo.

—Quería ir a casa a cambiarme, afeitarme, esas cosas.

—Si querés afeitarte, después bajamos y compramos lo que te haga falta. Y ropa no necesitás, al menos mientras estés conmigo.

—Para bajar sí.

—Pero son diez minutos. No te vas a ensuciar la que tenés. Eso sí, colgala, que la dejaste tirada por ahí y te va a quedar hecha una porquería de arrugas.

Bruno no discutió más. Estaba enormemente cómodo y la belleza de Caterina le parecía un premio inmerecido.

34
El anatomista

… como una lluvia de cenizas y fatiga…
HOMERO MANZI, "Fuimos"

La cuestión le daba vueltas en la cabeza desde hacía tiempo, desde el día en que le había contado a Bruno la historia de Molina, el anatomista del manicomio. Kramer quería volver a la morgue. La lectura del Testut, un libro en el que, no se explicaba cómo, había aprendido la arquitectura de los seres humanos, no le hubiera permitido conocerla como la conocía sin las imprescindibles lecciones prácticas de aquel maestro. Las clases de la facultad, con sus cadáveres mutilados y miserables, carne de disección durante generaciones, no le habrían bastado para eso. Recordaba que había comprado, en sociedad con unos compañeros, un esqueleto completo a un enterrador de la Chacarita que distraía cuerpos de la fosa común: no era una composición de piezas sueltas, sino lo que quedaba de una persona entera, aún no totalmente descarnada. Habían tenido que limpiar los huesos, hirviéndolos durante horas en una solución cáustica. También había conseguido por su lado un cráneo y tenía presente el método que había empleado para separar sus partes: rellenándolo con garbanzos secos y sumergiéndolo en agua: al rehidratarse, los garbanzos abrían las articulaciones desde dentro. Eran muy endebles las cabezas, los troncos, las manos. Un hombre es una maravilla mecánica, una maravilla química, una maravilla fisiológica, pero es terriblemente débil. Y lo más débil de todo es el sistema nervioso. El anatomista del manicomio lo había estudiado a fondo, lo había dibujado, lo mostraba levantando con delicadeza los finísimos hilos mágicos que transportaban la energía del cerebro a la periferia del cuerpo y de la periferia al cerebro.

Kramer recordaba el primer cerebro que había visto, íntegro primero, cortado en láminas delgadísimas después. En la facultad. En la morgue, en cambio, la visión había cedido su lugar al tacto. Había presionado levemente esa masa, que se había hundido con facilidad, como si hubiera apretado un trozo de manteca caliente. Se asustó. Se sintió un asesino. Eso se rompía, era de una asombrosa fragilidad. Molina se había reído. Estaba acostumbrado. Y el cerebro, aislado de su dueño, no era nada: una forma sin función.

Había tomado un colectivo para ir al loquero.

Subió un muchacho flaco, con ojeras, las manos largas y lastimadas, como con estigmas.

—¿Va al Borda? —le preguntó al colectivero.

—Sí.

El joven buscó monedas en el bolsillo.

—No, dejá, pibe, pasá —permitió el chofer.

—Gracias, patrón —murmuró el otro.

Los locos no pagaban. Pero no todos los que iban al Borda estarían locos. Kramer imaginó que este sería un colgado que iba a tratamiento, o a pedir metadona, o lo que fuera que le permitiera sobrevivir. Tampoco pagaba.

Adentro, todo parecía igual. Aunque no eran las siete de la mañana y era un día de sol. No pocos lugares de Buenos Aires parecían bombardeados, heridos en una guerra que no había sucedido. Era el abandono, la falta de pintura. Los senderos entre los pabellones, los árboles, las oficinas y las consultas improvisadas, todo parecía igual. Nadie le preguntó nada. Podía entrar y podía salir sin que nadie le preguntara nada. A lo mejor era que no tenía pinta de piantado, pero de los piantados no todos tenían pinta. Tenían pinta de pobres de toda pobreza. Él no. Se movía con soltura, había pasado mucho tiempo en hospitales. Y estaba bien vestido, con ropa nueva, zapatos brillantes, reloj. El pelo, que había empezado a crecer, arreglado. Había clases, a él no lo iban a controlar.

Fue hacia la morgue. Igual que en otra época, le pidieron tabaco. Iba preparado, con cuatro paquetes distribuidos en los bolsillos.

—Usted no es de acá —lo acusó uno, señalándolo con el dedo.

—No, no soy —siguió su camino.

Hasta que tuvo a la vista la puerta pequeña por la que había entrado tantas veces en sus días de estudiante.

Entonces se detuvo. Había un banco de cemento, una especie de anillo alrededor de un árbol grande. Se sentó. Encendió un cigarrillo. Ya no tenía ganas de entrar, de saber si Molina vivía, seguía ahí, todavía enseñaba. Eso se había acabado. Ahora le interesaba más lo de afuera.

Un hombre se sentó muy cerca de él. Kramer le tendió un paquete de rubios y un encendedor. El otro lo aceptó, tomó uno, empezó a fumar, le devolvió las cosas. Él sólo recuperó el encendedor.

—Gracias —sin entusiasmo, el tipo se guardó el tabaco—. Usted es médico, ¿no?

—¿Cómo lo sabe?

—Paciente no es, y los turistas acá no vienen. Claro que a lo mejor es un loco con guita y le gusta esto.

—No, no me gusta. Soy médico. ¿A usted le gusta?

—A veces. Tampoco tengo nada mejor afuera. Y la verdad, me da un poco de miedo que me den el alta, no sabría adónde ir. Prefiero que me tomen por loco. Este no es el peor lugar del mundo.

—¿Consigue que lo tomen por loco?

—Parece que sí, no me echan.

—No debería decirme eso a mí. Nadie debería enterarse de que usted está cuerdo, y menos un médico. Es su secreto.

—Usted es médico pero no es de acá, no lo va a contar.

—Acertó, no lo voy a contar. ¿Sabe qué hay ahí? —indicó la morgue.

—Antes era la morgue. Se mueren muchos. No sé si sigue siendo.

Kramer se levantó. Le encendió al cuerdo el segundo cigarrillo y le tendió la mano. El hombre la estrechó.

—Espero volver a verlo —dijo.

—Yo también —respondió Kramer, sin estar seguro de referirse al otro o a sí mismo.

Salió del hospital casi corriendo, angustiado por la posibilidad de que se lo impidieran. Ser médico no era garantía, él había conocido a unos cuantos que habían perdido la razón y ahora ni siquiera sabían equivocarse. En la calle, caminó hasta el primer bar, entró y pidió una ginebra. Se la bebió de un trago.

35
La voz del despierto

Pronto me sentí como si mi plegaria hubiese sido atendida:
renovados bríos y esperanzas bulleron en mi corazón.

BELLE BOYD, *El libro de cabecera del espía*

—Prima Lucinda.

—Qué lindo que llames. Si no, hoy te iba a llamar yo. Hay novedades.

—¿Tenés quién te sustituya?

—¡Sí! Viene un médico joven del Chaco. Dentro de quince días. ¿Y vos qué hacés?

—Acabo de salir del manicomio.

—Tuviste un episodio…

—Sólo fui de visita.

—¿Para qué?

—¿Te acordás de Molina, el anatomista?

—Sí, claro. ¿Vive? Tiene que ser muy viejo.

—No sé si vive. Pensaba averiguarlo pero no llegué a la morgue. Estuve hablando con un paciente, un tipo que se hace pasar por loco para que no le den el alta porque no tiene casa.

—¿De verdad?

—Me parece que no, que algo le pasa. Pero debe de ser cierto que no tiene casa y prefiere vivir ahí a vivir en la calle. No es como nosotros, que tenemos un departamento enorme con vista al río.

—¿Al de la Plata?

—¿Y cuál va a ser? ¿El Jordán, que ni se ve?

—¿En serio que tenemos departamento?

—Vacío hasta que llegues vos. Hay un placard para meter las primeras cosas y compré la cama más grande que encontré, de dos por dos. Así no nos incomodamos.

—¿Te da miedo dormir acompañado todos los días?

—Mentiría si te dijera que no.

—A mí también. Ni vos ni yo estamos acostumbrados.

—¿Y la experiencia británica?

—Fue demasiado breve y los dos estábamos muy ocupados.

—Bueno, le pediremos consejo al rabino. Porque nos vamos a casar, ¿no?

—No hace falta, primo. Estamos bien así.

—Mirá, Lucinda, estoy podrido de todo ese liberalismo al pedo de la gente que se va a vivir junta sin papeles porque no sirven para nada. Sirven. Las ceremonias sirven, los ritos unen, en el templo se consagra. Un compromiso sin consagrar es una mierda de compromiso, es como vivir en la indecisión. ¿Querés casarte conmigo?

—Sí, quiero.

—Entonces casémonos. Con sinagoga, con fiesta, con todo.

—¿Reformista, ortodoxo o lubavitch?

—No sé, en el tiempo que nos queda hasta que llegues hablaré con todos. Y después hablás vos, a ver con qué nos quedamos. Hace años que no piso un templo.

—No más que yo, probablemente.

—No vamos a competir en eso. Fueron nuestros padres los que se alejaron de la sinagoga. Nosotros podemos volver. Me tienen que aceptar, estoy circuncidado y Traúm me recordó que había circuncidado a un montón de pibes.

—¿Y a mí por qué me tienen que aceptar?

—Porque sos una rusita preciosa y porque los judíos, y sobre todo las judías, quieren que todo el mundo esté casado. Me voy a comprar zapatos con suelas gordas para romper la copa.

—¿Desde dónde me estás llamando?

—Desde casa. Puedo decir todas estas majaderías porque Bruno no está. Tiene una novia griega.

—¿Y Cecilia?

—Fue a ver un trabajo. Pero si no consigue, no pasa nada. Estará acá todo el tiempo que quiera. Yo me voy con vos y me parece que Bruno se va con la griega. Boda ortodoxa, supongo.

—¿Cómo la conoció?

—Por mí. Yo los puse en contacto. Hice de casamentera.

—¿Y vos cómo la conociste?

—No la conocí, todavía no la conozco…, pero es una historia demasiado larga y hermosa para contarla por teléfono.

—Buscale novio a la Cecilia también.

—Ella se las arregla sola. La llaman por teléfono una media de cuarenta tipos por día. Le salen por las orejas.

—Es avispada, va a elegir.

—Pero no hay candidatos con guita. Lástima.

—¿En qué barrio vamos a vivir?

—Palermo. Un edificio de quince pisos. El nuestro es el de más arriba.

—Dentro de tres semanas estaré ahí.

—Te estoy esperando.

Cortó la comunicación.

Salió y paró el primer taxi que acertó a pasar.

En el edificio en que viviría tres semanas más tarde, el portero lo saludó con un "buenos días, doctor" que le sonó a otra época, a otro país.

En el ascensor, pensó que iba a ocupar la casa de un desplazado, un tipo que había vendido por muy poca plata porque el agua le había llegado al cuello. Un tipo que se iba. Él volvía. Eran viajes diferentes: el que se iba, se iba lejos; el que volvía, volvía de ahí nomás después de haber dado un largo rodeo, de modo que ahí nomás parecía lejos. No lo atormentaba tener el premio por una vez.

Abrió la puerta y se dio cuenta de que no había ido a ver una vez más el departamento, sino a contemplar el río desde ahí arriba.

Se sentó en la cama, encendió un cigarrillo y se quedó mirando el agua.

El II Premio de Novela *La otra orilla 2006*
convocado por

GRUPO
EDITORIAL
norma

dotado con 30.000 dólares; con un jurado compuesto por
Rodrigo Fresán, Enrique de Hériz, Carlos Monsiváis y Juan
Villoro y en el que participaron un total de 468 manuscritos,
recayó por mayoría en la novela *El camino del norte*,
presentada con el seudónimo Fernando Navarro, que
resultó ser de Horacio Vázquez-Rial.